SIX GALICIAN POETS

SIX GALICIAN POETS

Translated by
Keith Payne

Edited and with an introduction by
Manuela Palacios

PUBLICATIONS
2016

Published by Arc Publications
Nanholme Mill, Shaw Wood Road
Todmorden, OL14 6DA, UK
www.arcpublications.co.uk

Design by Tony Ward
Printed in Great Britain by
TJ International, Padstow, Cornwall

978 1910345 45 0 (pbk)
978 1910345 84 9 (ebk)

The publishers are grateful to the authors
and, in the case of previously published works,
to their publishers for allowing their poems
to be included in this anthology.

Cover photograph: © Arturo Casas, 2016

This work has been published under the auspices of the
Consellería de Cultura, Educación e Ordenación Universitaria
through the Secretaría Xeral de Cultura.

Arc Publications 'New Voices from Europe and Beyond'
Series Editor: Alexandra Büchler

The editor, Manuela Palacios, and the publishers, Arc Publications, gratefully acknowledge the support of *Secretaría Xeral de Cultura, Consellería de Cultura, Educación e Ordenación Universitaria, Xunta de Galicia* [General Secretary of Culture, Department of Culture, Education and University Administration] in the publication of this volume.

This anthology has been prepared in the context of the research projects "Ex(s)istere" and "Eco-fictions", both funded by the Spanish Ministerio de Economía y Competitividad (FFI2012-35872; FEM2015-66937-P), the research group "Discourse and Identity" (Xunta de Galicia, GRC2015/002GI-1924), and the research network "Lingua e Literatura Inglesa e Identidade II" (Xunta de Galicia, R2014/403).

The translator, Keith Payne, wishes to acknowledge the assistance of the Casa del Traductor, Tarazona, (Zaragoza), where some of these poems were translated while on residency. He also wishes to acknowledge the editors of *Level Crossing* (Dedalus Press), *Gorse* and *Southword* where some of these poems appeared. The editor and the publishers gratefully acknowledge permission, from the authors and publishers below, to translate into English and to reprint, in this anthology, poems which appeared formerly in the following collections:

XOSÉ MARÍA ÁLVAREZ CÁCCAMO

'Todos te pretendían...', 'A chuvia era de guerra...', 'Entón entrei contigo no bosque das faias...' from *O lume branco* / The white flame (A Coruña: Espiral Maior, 1991); 'Un día cumprirei sete anos...', 'Eu nunca vin o sangue das baleas mortas', 'A cidade está lonxe, está prohibida...' from *Calendario perpetuo* / Endless calendar (A Coruña: Espiral Maior, 1997); 'árbore', 'incendio', 'segredo' from *Vocabulario das orixes* / Vocabulary of the origins (A Coruña: Deputación Provincial da Coruña, 2000); 'Na praia medra un astro desmedido...', 'Alí vivimos todos un pouco desnortados...', 'Pai de antiga profesión...' from *Vento de sal* / Salt wind (Vigo: Editorial Galaxia, 2008); 'na mesa todos saben que estás ausente...', 'o derradeiro barco está dobrando o cabo do horizonte...', 'cama da miña nai no fondo mudo...', 'estiveches toda a noite de varios meses...' from *Tempo de cristal e sombras* / A time of glass and shadows (A Coruña: Espiral Maior, 2014).

The poems 'Sinto a traxedia dos trens...' and 'Fronte a nós os rostros da ruína...' are published here for the first time.

CHUS PATO

'eu, Davinia Bardelás...', 'Xonás: Pero que facía ela alí...' from *m-Talá* (Vigo: Edicións Xerais, 2000), also translated into English by Erin Moure in *m-Talá* (Exeter: Shearsman, 2009); '– o que vostede escribe é representativo?...', 'o exterior do poema...' from *Charenton* (Vigo: Edicións Xerais, 2004), also translated into English by Erin Moure in *Charenton* (Exeter: Shearsman and Ottawa: BuschekBooks, 2007); 'Non, o paraíso non é a infancia ...' from *Hordas de escritura* (Vigo: Edicións Xerais, 2008) Critics'

National Prize, also translated into English by Erin Moure in *Hordes of Writing* (Exeter: Shearsman and Ottawa: BuschekBooks, 2011); 'Fisterra' from *Secesión* (Vigo: Editorial Galaxia, 2009), also translated into English by Erin Moure in *Secession / Insecession* (Toronto: BookThug, 2014) and in *Secession* (Montréal: Zat-So Productions, 2012); 'Meta', 'Diálogo', 'Contra os ídolos' from *Carne de Leviatán* (Vigo: Editorial Galaxia, 2013), also translated into English by Erin Moure in *Flesh of Leviathan* (Richmond, California: Omnidawn, 2016).

The following poems are published here for the first time: 'Decides ir cara esa boca (unha vocación), en consecuencia emprende(s) unha viaxe en barco', *'as sibilas somos Xeografía...'*, 'Pódese escribir coa imaxinación un poema que non se quere escribir? Carta a un poeta imperial'.

YOLANDA CASTAÑO

'historia da transformación' from *Profundidade de campo* / Depth of field (A Coruña: Espiral Maior, 2007) Critics' National Prize; 'pedra papel tesoira', 'metrofobia', *'listen and repeat:* un paxaro, unha barba', 'less is more', 'pan de celebración (*it's an unfair world*)', 'a poesía é unha lingua minorizada', 'reciclaxe', 'cousas que comezan por y', 'logopedia', *'the winner takes it all*, a musa non leva un peso' from *A segunda lingua* / The second language (Santiago de Compostela: PEN Galicia, 2014) Novacaixagalicia XI Poetry Prize, 2013; 'mazás do xardín de tolstoi' in the multiple-authored collection *A Coruña á luz das letras* / A Coruña, to the light of letters (A Coruña: Trifolium, 2008); 'Pasei tantas veces por aquí... e nunca vos vira' in Yolanda Castaño & María Reimóndez, *Cuadernos de Villa Waldberta* / The Villa Waldberta Notebooks (Munich: Instituto Cervantes, 2012).

ESTEVO CREUS

Excerpts from *Teoría do lugar* / A theory of place], (Sada: Edicións de O Castro, 1999) Eusebio Baleirón Poetry Prize; excerpts from *Areados* / Sandiness (A Coruña: Deputación de A Coruña, 1996) Miguel González Gracés Prize; excerpts from *Poemas da cidade oculta* / Poems from the hidden city (Vigo: Edicións Xerais, 1996); excerpts from *Decrúa* / Clearings (A Coruña: Espiral Maior, 2003) Fiz Vergara Vilariño Poetry Prize; excerpts from *O libro dos cans* / The book of dogs (Ourense: Franouren Ediciones, 2010).

MARÍA DO CEBREIRO

'nota sobre a escultura', 'Ismaël et agar dans le désert (un cadro de françois-joseph navez)', 'o frío', 'a pel', 'o sangue', 'o amor' from *O deserto* / The desert (A Coruña: Apiario, 2015) Critics' National Prize, 2016; 'a loba' from *Non queres que o poema te coñeza* / You don't want the poem to know you (Santiago de Compostela: PEN Galicia / Danú S.L., 2004) II Caixanova Poetry Prize; 'ensaio e erro' from *Os hemisferios* / The hemispheres (Vigo: Editorial Galaxia, 2006).

DANIEL SALGADO

'Occidente mosca e sono...' from *Sucede* / It happens (A Coruña: Espiral Maior, 2004) II Uxío Novoneyra Poetry Prize; 'todas as cousas' from *dias no imperio* / days in the empire (Ferrol: Sociedade de Cultura Valle-Inclán, 2004) XXIV Esquío Poetry Prize; excerpt from *Éxodo* / Exodus (Vigo: Edicións Xerais, 2006); 'Poesía e política', 'El quinto regimiento' from *Os poemas de como se rompe todo* / Poems on how it's all breaking down (Santiago de Compostela: Sotelo Blanco, 2007); 'A fin da historia from *XXI Festival da Poesía no Condado* / XXI Condado Poetry Festival (Salvaterra de Minho: Sociedade Cultural e Desportiva do Condado, 2007); excerpt from *Ascensión* / Ascension (limited, auto-edition, with design and drawings by Xosé Carlos Hidalgo); 'oficina', 'asuntos de derruba', 'teoría do free jazz' from *ruído de fondo* / Background noise (Vigo: Edicións Xerais, 2012); 'Vigo', 'A Inglaterra que amaba a señora Erith xa non existe...', 'Informe sobre o estado actual da loita de clases', 'Sar', 'Oza (Teo), 'Berlín', 'Vilance. Variación sobre un tema de José Emilio Pacheco' from *Dos tempos sombrizos* / On the dim times (Vigo: Edicións Xerais, 2013) Gonzalo López Abente Prize.

CONTENTS

YOLANDA CASTAÑO

ESTEVO CREUS

Six Galician Poets is the thirteenth volume in a series of bilingual anthologies which brings contemporary poetry from around Europe to English-language readers. It is not by accident that the tired old phrase about poetry being 'lost in translation' came out of an English-speaking environment, out of a tradition that has always felt remarkably uneasy about translation – of contemporary works, if not the classics. Yet poetry can be and is 'found' in translation; in fact, any good translation reinvents the poetry of the original, and we should always be aware that any translation is the outcome of a dialogue between two cultures, languages and different poetic sensibilities, between collective as well as individual imaginations, conducted by two voices, that of the poet and of the translator, and joined by a third interlocutor in the process of reading.

And it is this dialogue that is so important to writers in countries and regions where translation has always been an integral part of the literary environment and has played a role in the development of local literary tradition and poetics. Writing without reading poetry from many different traditions would be unthinkable for the poets in the anthologies of this series, many of whom are accomplished translators who consider poetry in translation to be part of their own literary background and an important source of inspiration.

While the series 'New Voices from Europe and Beyond' aims to keep a finger on the pulse of the here-and-now of international poetry by presenting the work of a small number of contemporary poets, each collection, edited by a guest editor, has its own focus and rationale for the selection of the poets and poems.

In *Six Galician Poets* we are presented with work which exemplifies the range of concerns and preoccupations of the last three decades. Vigorous and innovating, contemporary Galician poetry has a strong presence on the literary scene of Spain, continuing a centuries-old unbroken line of literary creation in the language of the country. It is remarkable in its capacity for artistic questioning, and for political, social and historical commentary combined with a deep-felt connection with the land and nature. And this is what the poems in this anthology seem to have in common: they appear to grow from roots firmly planted in home soil, their branches reaching out beyond the boundaries of a single literary tradition into a space where they intertwine, blossom and bear fruit.

The publishers would like to thank all those who have made this edition possible.

The Spanish-language poet Antonio Gamoneda, who was awarded the Miguel de Cervantes Prize in 2006, has recently said of Galician poetry: "Galician is the language in which, from a qualitative point of view, the most important poetry in Spain is currently being produced." Apart from the complimentary value-judgement of this statement, we notice that it acknowledges the intimate bond between language and literature, and adds currency to the prevailing idea that today Galician literature is literature written in the Galician language.

It is precisely this bond between language and literature that helps us trace an early peak of Galician poetry back to the Middle Ages when the West Iberian Romance language known as Galician-Portuguese produced some of the most influential lyrical writing in Western Europe. The *Cantigas* of the court of the Castilian king Alfonso X and the poetry produced by King Denis of Portugal are, along with the output of other remarkable minstrels of the troubadour tradition, outstanding examples of this early achievement of Galician-Portuguese lyric production. Galician poetry did not, however, enjoy such renown again until the development of regionalist movements in the nineteenth century. This was the time of the Galician *Rexurdimento* (Revival) which aimed to foster a differentiated sense of identity. The year 1863 witnessed the publication of a collection of poetry entirely written in Galician, *Cantares Gallegos* (Galician Songs), by Rosalía de Castro – few other national literatures can boast or even acknowledge a female founding figure – and the 1880s flourished with the poetic output of ground-breaking poets such as Manuel Curros Enríquez and Eduardo Pondal.

Continuing political and cultural activism at the beginning of the twentieth century brought with it the creation of academies, associations, journals and Galician language movements that invigorated Galician culture, while throughout the 1920s and first half of the 1930s, the intellectuals involved in the magazine *Nós* (Ourselves) stimulated the internationalization of Galician culture. Atlanticism and Celticism remained among the driving forces for this transnational effort, and Irish writers such as James Joyce and W. B. Yeats received privileged attention through various translation projects, while, simultaneously, the European avant-gardes were introduced to Galicia through various literary journals and the poetry of Manuel Antonio, especially his book *De catro a catro* (From Four to Four, 1928).

General Franco's military uprising in 1936 and the ensuing Civil War (1936-1939) and dictatorship (1939-1975) resulted in a major setback for both Galicia's political aspirations and its cultural flourishing, with many of its intellectuals executed or forced into exile, and Buenos Aires becoming one of the surrogate centres of Galician culture. Within the Spanish peninsula, Galician culture was slow to recover during Franco's dictatorship, mainly because of the hostility of Spanish nationalism to other peripheral cultures, languages and national aspirations. The year 1950, however, constituted a landmark in the reconstruction of Galician culture with the foundation of Galaxia, a publishing house with a broad range of literary projects, among them the launch of the journal of Galician culture *Grial* which remains in print to this day.

The poet and critic Xosé Luís Méndez Ferrín has identified three successive, post-war, generations of poets, although it should be noted that they are neither self-enclosed nor homogeneous groups. The first one was the 'Generation of 1936', which included poets who experienced the severity of the Civil War and the harassment of its aftermath. These were writers with a wide variety of formalist and existential concerns that stretched from a quest for the simplification of verse, as in the case of Aquilino Iglesia Alvariño, to elaborate and erudite formal structures, as in Ricardo Carvalho Calero's work. Their subject matter ranged from an engagement with the problems of poverty and repression, as in Celso Emilio Ferreiro, to a radical perception of intimacy, as in María Mariño. These themes also co-existed with legendary ones, as in Álvaro Cunqueiro, and with the nostalgic exploration of the past as in Pura Vázquez. The following generation was an intermediary one as its name, 'Promoción de Enlace' [Connecting Generation], suggests. Among its writers we find the prolific Luz Pozo Garza and María do Carme Kruckenberg, both of whom were intent on refining poetic expression into a stately and dignified form while at the same time exploring existential concerns about life, love, the passage of time and death. Méndez Ferrín's third generation of writers was born after the Civil War and gathered around a number of cultural initiatives in Galicia (Minerva Literary Festivals) and in Madrid (Brais Pinto Group). These poets embraced innovation in writing and engaged in left-wing nationalist politics, while still remaining a very heterogeneous generation. Some wrote anguished poetry of social realist import, as in the case of Manuel María, while others, such as Uxío Novoneyra, explored transcendental rapports with nature. Xohana Torres stood out from the male voices of this generation thanks to her rigorous and exploratory poetic craft, the scrutiny of memory and the celebration of female bonds.

The second half of the 1970s, with the advent of democracy after General Franco's death, witnessed a notable change in the course of poetry and the rise, in Galicia, of neo-avant-garde and counter-cultural poetic groups such as 'Rompente'. The manifesto of the group 'Cravo fondo' and Galician writers in Madrid – gathered around the magazine *Loia* – were similarly active in the re-drawing of poetic practice. Critics point out the novel approach to poetry by writers such as Méndez Ferrín, Arcadio López Casanova and Alfonso Pexegueiro. Their broad-ranging literary allusions, their precisely-constructed collections, and their reflections on the intertwining of language and power marked a watershed in Galician poetry.

The new political and legal situation in Galicia, with the 1981 Statute of Autonomy and the 1983 Law of Linguistic Normalization, favoured the growth of the publishing industry and cultural production. Publishers initiated poetry catalogues, cultural associations awarded prestigious literary prizes and new literary journals disseminated contemporary poetry. There persisted, in a number of writers, a strong political engagement although the social-realist approach was more often than not seen as a throwback to another era. The list of writers with noteworthy collections published in this decade is rewardingly long and includes, to name only a few, Xabier Rodríguez Baixeras, Darío Xohán Cabana, Xosé María Álvarez Cáccamo, Ramiro Fonte, Manuel Rivas, Pilar Pallarés, Miguel Anxo Fernán-Vello, Claudio Rodríguez Fer and Ana Romaní.

The 1990s continued to be prolific years with the formation of numerous poetry groups, among them the 'Batallón Literario da Costa da Morte', and collective publishing projects such as Letras de Cal. Estevo Creus, one of the poets in this anthology, was a founding member of several of these innovatory cultural initiatives. Poetry prizes, catalogues, festivals and performances in public places brought poetry closer to the general public. The younger poets had finally been able to study the Galician language at school and university, which showed in their confident use of the language and their solid knowledge of the Galician literary tradition. They frequently used free verse and a conversational tone, included subject matter from daily life and often committed themselves to alternative ideologies such as feminism, ecology and anti-militarism.

While new publishing ventures gave preference to experimental projects and to innovation, the 1990s also witnessed the unprecedented emergence of female writers who added their voices to those of the older generation of women poets with longstanding literary careers, such as Xohana Torres, Luz Pozo Garza and María do Carme Kruckenberg. Chus Pato's ground-breaking experimentation pushing the frontiers of the poetic genre co-existed with the radical questioning of gender roles evident in the texts and performances of Ana Romaní and Antón Lopo. Marilar Aleixandre's familiarity with the tenets and main voices of international feminism guided her relentless inquiry into power relations both outside and within the domestic world. Also in the 1990s, Yolanda Castaño, Olga Novo, María do Cebreiro and Lupe Gómez – each of them in her own distinctive manner – began inspiring literary outputs that contributed compelling reflections on the tensions between genre and gender, the desiring body, the allure of nature and the notions of belonging and alienation. This decade marked an unparalleled peak in the publication of Galician poetry. The editors of the anthology *Efecto 2000* (Letras de Cal, 1999) included almost one hundred poets who had published their first collections in the 1990s.

The new millennium began with the consolidation of poetry that aimed at social, cultural and political intervention. Such was the case of Redes Escarlata (Scarlet Network), with their left-wing nationalist stance, as well as their ecological and political activism in response to the environmental catastrophe caused by the sinking, and subsequent oil-spill, of the oil tanker *Prestige* in November 2002. As important as the leading intellectual figures that shook the citizens' conscience were the numerous initiatives and networks assembled by writers that would strengthen the ties among them and favour enduring cultural projects. The onset of the financial crisis, however, entailed draconian cuts in public funding of cultural projects which, together with the changing circumstances of the publishing market, have made the publication of poetry more difficult.

While the historical survey above may give the impression of neat generational divides, in reality writers of different ages, with different interests and literary trajectories, have coexisted and have often collaborated in collective cultural projects. Younger poets are now well acquainted with their predecessors' work and converse with them in their own writings.

SIX GALICIAN POETS

The authors included in this anthology are poets whose innovative contributions have enriched Galician poetry – their work is followed attentively and each new publication is eagerly anticipated. Two of the poets in this selection, Xosé María Álvarez Cáccamo and Chus Pato, have consolidated literary careers, but they re-invent themselves with each new work. The other four poets, Yolanda Castaño, Estevo Creus, María do Cebreiro and Daniel Salgado are younger in age, but they also have a good number of collections already published, have been awarded some important literary prizes and enjoy the recognition of their peers. These six poets are characterized by their unrelenting examination of literary forms and by their probing of new conceptual worlds. Readers will recognise in their work some common concerns and occasional mutual influences. The order for the presentation of the poets in this selection follows the date of publication of their first poetry collection. The poems, and their order, were chosen by the writers themselves with the exception of Daniel Salgado, whose poems were selected by Ana Salgado.

Critics have identified two main interests in the poetry of XOSÉ MARÍA ÁLVAREZ CÁCCAMO, one that explores the private realm of childhood and family bonds and another that gives expression to his civic engagement and denunciation of injustice. In writing about the past, he avoids nostalgia by revisiting individual and collective memories and breathing new life into them, and acknowledges his indebtedness to a type of symbolism shaped by surrealism and the exploration of emotions. He acknowledges that his work has been influenced by Lorca's surrealist expressionism (in *Poet in New York*), Rilke's existential hermeticism, Whitman's vigorous and overflowing discourse, Neruda's imaginative performance, Borges's conceptual rigour, Ginsberg's choral and critical consciousness and, of course, by many other writers in the Galician literary tradition.

Although his first poetry collections were published in the 1980s, Álvarez Cáccamo has chosen to be represented in the *Six Poets* anthology series by poems written after 1990. Some of his texts are prose poems with long poetic and rhythmical lines, while others play with the tensions between short lineation and syntax. There is an elegiac tone in poems that deal with intense, though brief, past love, set in desolate landscapes and frequently articulated through oxymorons. His acute sense of plasticity recalls imagist poetry that he, as a Galician poet, moulds into his personal style. His portrayal of the natural world enriches the symbolism of the poem and at the same time accurately depicts the local geography and landscapes that inspire his poetry.

One term that, according to Miriam Reyes, characterizes CHUS PATO well is that of 'transgression', as she interrogates the limits of literary genres and enquires into social and intellectual formations such as language and history. Pato justifies the figure of the reader as a producer – and not merely a consumer – of meaning. Attentive to recent developments in contemporary philosophy, she creates in her writing a multiplicity of voices, forms and settings. About her writing experience she has commented: "I remember the impossibility of writing that which was imposed on me as writing, and the impossibility of language – I write in a language that I do not know in any normal way" (Casas 2003). Among her international literary influences Pound, Plath, Bachman, Celan, Hölderlin, Shelley, Byron and Beckett could be mentioned, but she is also unyieldingly committed to the construction of a potent national literary system in Galicia. Pato endorses those poetic projects that refuse to write what has already been written, that transform our perception of language, that engage in a profound mutation of poetic discourse, that unearth formerly silenced voices, and that explore the limits between the speakable and the unspeakable.

Although Pato published her first poetry collection in 1991, she has chosen, for this anthology, mainly poems from a series of five books published after 2000 together with a few formerly uncollected poems. In these five books, Pato explores the writing process and the building of identity, both national and individual. Contrary to the unified subject of much lyrical poetry, Pato deliberately constructs mutating subjectivities that destabilize our few certainties and grand narratives. Her metaliterary reflections are often intertwined with political thought. Although the format of this anthology has led her to select short fragments from her books, her work usually deploys large-scale formats that are more suited to her experimental and unending quest.

Yolanda Castaño is to be thanked, first of all, for her painstaking efforts to facilitate the present anthology. This versatile poet has upheld the poet's right to wear and flaunt a variety of *personae*, regardless of social impositions and expectations about the figure of the female writer. Hers has been identified as "a poetics of mirrors, masks and mirages" (Requeixo 2012) that traces the meandering flow of consciousness and reaches into the realm of illusion and ambiguity. Her early poetry collections of the 1990s explored woman's desire and eroticism in the wake of other Western female writers who had struggled to reclaim the female body and inscribe women's desire in the poem. Her more recent books focus on identity as articulated by language, construed through appearance and interrogated by a detached Other both within and outside of us. Castaño relishes a provocative and ironic stance with a subtle range of tones, from the caustic to the comic. Among the poems selected by Castaño are those from her most recent collection *A segunda lingua* (The Second Language), which examines the sundry recesses of the writing profession.

Estevo Creus has participated in the creation of alternative literary projects as diverse as publishing houses, poetry movements and theatre companies. His experimentation with graphic design, audiovisual media, and his combined literary and musical performances are proof of his imaginative and audacious stance. His early poetry was associated with the surrealist and naïve poetic currents of the 1990s in Galicia, and he is indebted to the European avant-garde, in particular to Dadaist rebelliousness, radical dislocation, and a deep mistrust of language. Writing is for him a compulsion "so as to organize the I, to organize the world" as he puts it. His apparently straightforward language conveys complex psychical states and the uniqueness of his characters and voices must be approached from a non-rational standpoint. Although his poetry books mostly consist of long poems that pour over and beyond the page, Creus has, for this anthology, selected significant excerpts from various books so that we can gain an insight into his landscapes of desolation and undecidability.

"Our body is not a temple or a plot of land. Our body is a battleground," stated María do Cebreiro in her essay about the various configurations of the female body in the poetry of Galician women in the 1990s. María do Cebreiro called her contemporaries' attention to the urgency of registering the visible traces that suffering leaves on people's bodies. Writing about the body, she claimed, must avoid self-complacency and should expose power relations. Women writers, she added, would do well to conquer as many territories of the physical body as possible, and to scrutinize its intersections with gender, language, class, science, and nature.

The poems by María do Cebreiro in this anthology often explore the circumstances of bodies in pain, and examine our perplexity when confronting artistic representations of the body and experiencing a magnetic pull towards them. Although her dramatic voices challenge the mystique of motherhood, with an equally free mind they acknowledge their fascination with maternal bodily functions. The importance she places on our human and animal nature suggests that a new approach to nature is possible in women's poetry that is neither biologically deterministic nor a mere intellectual construct. Of the eight poems by María do Cebreiro selected here, six form part of her most recent collection entitled *O deserto* (The Desert, 2015).

The critic Miriam Reyes has said of Daniel Salgado that he writes the poetic chronicle of our adverse times and targets our critical thinking with tools indebted to the philosophical and aesthetic discourses of Gilles Deleuze, Karl Marx and J. G. Ballard. Among the international writers Salgado most respects are Dante, Faulkner, Dylan Thomas, Conrad, Mahmoud Darwish, Hölderlin, Celan, Ginsberg – whose *Howl* Salgado translated into Galician – and Perec. As important as these are the musical influences of free jazz and the music of John Coltrane, Charles Mingus, Hank Williams and Brian Wilson. María Xesús Nogueira has suggested that their music may be behind certain structural and rhythmic patterns in

Salgado's poetry, with its overflowing verse, the recurrent enjambments, and its abruptly syncopated rhythms.

Manuel Outeiriño has affirmed that Salgado's "rough speech [...] searches for and performs freedom, conscious as he is that literature is not a sin (it is only a sin when it plays an ancillary role)." Salgado's poetry is not a mirror of the world but a provisional and precarious testimony of havoc. Bonds, whether literary, social or personal, are stretched and fissures scrutinized – to the extent that Salgado's poems become deeply destabilizing. Ana Salgado's thoughtful selection from eight different published collections provides us with a highly informative and representative survey of the poet's writing from 2004 to 2013.

Manuela Palacios

REFERENCES

Casas, Arturo (1997). 'O poema en prosa e a lei do calendario', *Calendario perpetuo,* by Xosé María Álvarez Cáccamo (A Coruña: Espiral Maior, 1997) pp. 7-20.

———, ed. (2003). *Antoloxía consultada da poesía galega. 1976-2000* (Lugo: Tris Tram).

Creus, Estevo (2009). "Por que comecei a escribir?" Interview. AELG digital archive. http://www.aelg.org/centro-documentacion/autoresas/estevo-creus/videoteca (accessed 19/01/2016).

Gamoneda, Antonio (2015). "Yo era, y sigo siendo, un poeta provinciano. En eso soy vocacional". Interview with Cristina Fiaño at the University of Santiago de Compostela. http://xornal.usc.es/xornal/entrevistas/entrevista_0112.html. Retrieved 26/10/2015.

González, Helena (2001). 'A poesía dos 90, A tribo das baleas', *A tribo das baleas. Poetas de arestora,* ed. Helena González (Vigo: Edicións Xerais) pp. 5-30.

Méndez Ferrín, Xosé Luís ([1984] 1990). *De Pondal a Novoneyra. Poesía galega posterior á guerra civil* (Vigo: Edicións Xerais. 2nd edition).

Nogueira, María Xesús (2007). 'Esta manía da linguaxe', *Lg3 Literatura.* http://culturagalega.gal/lg3/extra_recension_xenero.php?Cod_extrs=1363&Cod_prdccn=1067 (accessed 19/01/2016).

——— (2008). 'Sen poema abondo para tanta intemperie', *Lg3 Literatura.* http://culturagalega.gal/lg3/extra_recension_xenero.php?Cod_extrs=1621&Cod_prdccn=1317 (accessed 19/01/2016).

Outeiriño, Manuel (2004). 'Limiar', *Sucede,* by Daniel Salgado (A Coruña: Espiral Maior) pp. 9-11.

Rábade Villar, María do Cebreiro (2008). 'Nuestro cuerpo es un campo de batalla. El sentido político de la poesía gallega escrita por mujeres', *Palabras extremas: Escritoras gallegas e irlandesas de hoy,* eds. M. Palacios & H. González (A Coruña: Netbiblo) pp. 99-107.

Requeixo, Armando (2012). 'Parlamento das Letras: Yolanda Castaño', *Criticalia* (literary blog). http://armandorequeixo. blogaliza.org/2012/07/11/parlamento-das-letras-yolanda-castano/ (accessed 19/01/2016)

Reyes, Miriam (2015). 'Prólogo', *Punto de ebullición. Antología de la poesía contemporánea en gallego,* ed. M. Reyes (Madrid: Fondo de Cultura Económica de España) pp. 9-23.

What follows are a few words on my experience of translating the work of these six Galician poets into an English that I can only hope does their poetry justice.

Translating, for me, is simply an extension of reading, of close reading. It is a solitary process, but never silent. Before meaning intrudes, often clumsily, there is the music. Many of these poets were kind enough to allow me to record them reading their poems. In the background there are the sounds of the café and the street where we met, the squealing of a coffee machine and squabbling seagulls. Before reading these poems, I listened to them. I listened to them again. Then I listened to them once more, scribbling notions of what the poems were saying based on their music. Because, once you start in with the dictionary, your schooling and the limits of your own language get in the way.

Fortunately for me, I had Manuela Palacios to nudge me aside when I was too sure of my hold on English to let the Galician poets' voices come through. Her suggestions, her editorial eye and poetic ear, her tireless and at all times instinctive and professional stewardship of this company of six poets into the words of a seventh, Irish poet, has been crucial in shaping these poems. I am also grateful for the help of native Galician speakers Mari Nieves Pérez Piñeiro and Su Garrido Pombo.

And it has been a busy occasion too. Opening the manuscript was an invitation to a hooley to which you arrive at the door, notes in hand, laptop under your oxter. There's music, chatter and chuntering away in the corner, and a low hanging cloud of cigarette smoke. I mixed and mingled, stumbling into and out of meaning; misunderstanding, misconstruing, hanging for balance on a word or phrase that leapt from one of these poets, missing one beat only to catch another. The time spent with these six Galician poets has been the making of six Galician friends, whose company I'm already beginning to miss since this is a farewell note to the project. The gathering is come to an end, but their voices will keep me company through the long nights of poetry ahead, a company I am thankful for.

Keith Payne

XOSÉ MARÍA ÁLVAREZ CÁCCAMO

PHOTO: LUIS GABÚ

Xosé María Álvarez Cáccamo was born in Vigo in 1950. A poet and literary critic, he has also published fiction, drama and children's literature. Besides this, he is the author of object- and visual poems.

He has published twenty-four poetry collections, including his first book *Praia das furnas* (Furnas Beach, 1983), *Vento de sal* (Salt Wind, 2008), and his latest collection *Tempo de cristal e sombras* (A Time of Glass and Shadows, 2014). *Ancoradoiro. Obra poética (1983-2003)* (Anchorage. Collected Poems, 1983-2003) appeared in 2003 and a further selected poems, *De sombras e poemas que son casas* (On Shadows and Poems That are Houses, 2010) was published in 2010.

Memoria de poeta (A Poet's Memory, 2006), is the title of his autobiography, while *Tempo do pai* (Time of the Father, 2008), brings together evocations of the life of his father, Xosé María Álvarez Blázquez.

His critical work is mainly concerned with Galician poetry of the second half of the twentieth century and has been gathered in the book *Espazos do poema* (Realms of the Poem, 2009). His most recent publication is the novel *As últimas galerías* (The Last Galleries, 2015).

* * *

Todos te pretendían porque viñeras acompañada dun rumor e
chegabas de cidades non domésticas

e dos teus labios esenciais cantabas a louvanza da fronteira
con entoación excéntrica. Por iso todos

soñaron posuír a ciencia do teu corpo que imaxinaban sabia
en dor pero proveedora de mortal exaltación. Só eu,

triste de non saberme, maltratado polo vento, nun recanto do
xardín, perto do estanque onde afogara o neno máis cativo,
estaba mirando as miñas propias mans mordidas,

recoñecía na pel rota o designio da estirpe, o seu mandato, e
non quería nada senón que a noite me gardase.

Viñeches a interrogar na miña hora oculta, fuxindo dos
pretendentes, da súa ruda urxencia. Eu podía salvarte

da turba sedución, da danza das figuras en ritual de cerco. Eu
era triste e conservaba a transparente fertilidade do fracaso.

Desde aquela tarde repetimos xuntos os movementos
tradicionais da luz herdada e algunhas actitudes novas que
nos facían extraordinarios, por exemplo

o xesto de agardar por ti quebrado de fervor mentres a noite
impedía a túa presenza, a túa vista,

o perigo de resistir o cadoiro dos días até o límite dos últimos
transportes, as promesas

dunha felicidade sen destino, ti e mais eu nas beiras do mundo
aberto en astros,

a primeira sabedoría da boca en raíz, a fame de alimentarnos
con froitas de lingua e seiva.

* * *

They all wanted to be with you when you blew in with the good word from those faraway cities

and from your indispensable lips flew eulogies for the frontier in a most singular pitch. And so

they all dreamt of possessing the science of your body they imagined wise in suffering and a trader in grave praise. But I,

sad for being lost, battered by the wind in a corner in the garden hard by the pond where the youngest child drowned, I was looking at my own gnawed hands,

recognising the family line in the broken skin, the writ, and wanted nothing more than the night to wrap around me.

You came questioning in my quiet hour, ducking out on the hopeful, their gruff urgency. I could save you

from the grubby seduction, from the shapes paw-playing a siege around you. I was sad, and I held on to the clean bloom of failure.

From then on we chimed side by side in the given light with a few new moves that took us to greater heights like

hanging on for you as I burnt feverish and the night kept you out of sight, your look,

the risk of resisting the tumble of days till the last train home, promises

of a happiness bound nowhere, you and me sat at the edge of the world under a starry sky,

the first crack of the lips, the hunger from ravenous feasting on the fruits of the tongue and lifeblood.

E na estrema dos prazos, Setembro que anunciaba o seu murcho esplendor de arquitecturas rubias,

un tren, definitivo pretendente adverso, chegou para levarte.

Antes das cartas que foron esmorecendo en impreciso detalle e desventura

un deseño infeliz inmobilízate: os teus ollos facéndose cativos arrebatadamente, perdendo luz detrás dunha xanela.

* * *

A chuvia era de guerra. Eu xa non tiña nome e choraba no centro das explosións azuis.

Detido fronte ás láminas dun océano aberto sobre a praia de escoura

sentín pasar un barco que viña desfondado, ardendo sen destino. E preguntei por ti, silenciosa, senlleira, porcelana nocturna,

corpo branco ferido. Na noite da primeira celebración sen voz

recoñecín o leito como se fose meu, e dixen: "Esta alcoba…"

Do Sul viña unha luz como de fondo de auga. A casa esmorecía ocupada de páxaros e neve de salitre.

Nun xardín de domingo, detrás da flor dos cedros, sentimos a hora morta dunha vida imposíbel. Polas prazas queimadas

baixaban ríos quietos e os nenos extraviados recitaban un número. Eu fuxía de ti

e regresaba sempre con botellas, enigmas e palabras de lacre.

O tempo limitaba coa estación das perpetuas flores secas de Marzo. Ti sabías o tempo

And then the eleventh hour, as September peeled off your splendour of withered yellow weave,

a train, the last regrettable suitor, came to whisk you off.

And before the letters you left behind blurred to a bad hand

a blue funk traced your outline: your eyes without warning growing tiny, losing light behind a window.

* * *

The rain was at war. I was nameless already and crying under the blue blasts.

Stuck facing the ocean sheets in the flotsam of the open beach

I sensed a bottomless boat float by burning itself astray. And I asked after you, quiet, lone, nocturnal alabaster,

bruised white body. On the night of the first hushed celebration

I recognized the bed as if it were my own and said: "This bedroom…"

A light from the south up from beneath the ocean. The house was dissolving in birds and a snow covering of brine.

By the cedar flowers in a Sunday garden we felt the dead hour of an impossible life. Rivers streamed quiet

across the seared plazas and the children adrift called out a number. I left you

and always came back with bottles, tall tales and wax words.

And almost upon us the everlasting bloom of dried flowers in March. You knew when this love

do final dese amor. Escoitabas o río mentres eu, desnortado, preso doutras memorias,

morría fronte ás láminas dun océano roto.

Destinada a un planeta de ollos cegos azuis, nunca puiden saber a flor da túa lenda,

porcelana nocturna que vivías esperta nas areas delgadas do alto da mañá

e cantabas espida, sorprendente, infeliz.

¿Que foi do teu vagar polas veigas queimadas? ¿Como lembras o riso con que te espertei e as tres palabras mortas que usei para marchar?

Daquel amor conservo unha brétema en gasas que soben das enchousas, a bolboreta gris, asas rotas de orballo contra os cristais de outono,

e un instrumento exacto para medir os ángulos

da luz e da memoria. Dentro de min, silencio, copia do teu silencio, criatura imposíbel, flor de xeo no ar.

* * *

Entón entrei contigo no bosque das faias a media altura polos corredores centrais e non pola sombría raíz onde as árbores antigas pisan ídolos,

e non a través do pórtico alto das follas perennes con luz de templo senón por un camiño que ninguén percorrera en amor de caza.

E ti estabas tan pálida de cuarzo, pomba leve, doente estabas con chama morta dentro de ti

pero sabías nomear os tecidos do lique e nomeabas sen erro

would end. You heard the river while, all at sea, I was a prisoner to other memories,

and died turning into the sheets of a worn-out ocean.

Heading for a planet of blind blue eyes, I could never find the bloom of your story,

nocturnal alabaster you stayed awake in the fine sands of high morning

and sang naked, wondrous, wretched.

What ever became of your wandering the burned fields? How do you remember the laughter I woke you with and the three dead words I used as I walked out?

From that love I keep hold of a fog off the tarn, grey butterfly, drizzled wings against the autumn windows,

and a tool for reckoning the angles

of memory, of light. Silence in me, the cast of your silence, oh impossible creature, ice flower in the air.

* * *

And so I stepped into the beech trees with you, halfway along the middle clearing and not by the dank roots where the ancient trees crush idols,

and not by the high arc of evergreen leaves and cool temple light but by a path where no hunter ever followed his heart.

And you were pale as quartz, my delicate dove, quenched by the dead fire inside you

but you knew the names of lichen weave and nicely named

as distancias e tiñas querenza da cor universal das aparicións durmidas:

un cervo, un corzo, talvez a sombra de aguia que atravesa o río.

Eu chamei cos ollos por neve en silencio e ti, pálida de area entre as follas de acivro, dixeches: "¡Cala, mira!",

e foi alí a grande figura quieta dun cervo no alto da tarde, e o cervo éramos nós dentro do bosque,

e o branco da túa pel acendeu unha seda vermella, os labios abriron unha rosa imposíbel entre as faias.

* * *

Un día cumprirei sete anos despois de baixar as congostras do monte, que son de pedra e fento.

Estarán agardando na terraza os meus tíos con camisas brancas e frases decisivas para que eu nunca esqueza o día dese ano.

Porque cumprirei sete anos e desde ese momento serei hábil no manexo dos instrumentos de precisión e ninguén volverá rir dos acenos cos que vivo, dificilmente aínda.

Nesa hora abrirei a cancela da praia, na tardiña, e poderei camiñar descalzo algúns metros no arredor procurando non pisar os cardos e sentindo na pel a seda das areas brancas, as máis finas.

Cumprirei sete anos para entender mellor a forma dos campos da noite, tan desancorados que poñen música nas palabras do meu pai, tan exactos na altura como os meus sete anos, que un día cumprirei e nunca máis.

the distances, and you loved the universal cast of sleeping spectres:

a deer, a roe deer, maybe even the shadow of an eagle passing over the river.

And with my eyes I begged for snow and you, pale as sand among the holly, you said: "Shh, look!"

as the great silent body of a deer stepped into the afternoon, and we were the deer in the woods,

your white skin blushed a silk red and your lips bloomed an impossible rose among the beech trees.

* * *

One day I'll be seven years old when I come down the mountain path that's made of fern and stone.

My uncles in their white shirts will be stood on the porch with their hard talk so I never forget the day that year.

Because I'll be seven years old and from then on I'll handle the sharp tools and no one will laugh again at the gestures I live with.

And then I'll open the fence to the evening beach and I'll be able to walk around barefoot a few yards thistle dodging with the finest white silk sand on my skin.

I'll be seven years old and I'll finally know the look of the fields at night, rolling along to the tune of my father's words, as far out as my seven years, that one day I'll reach, and then no more.

* * *

Eu nunca vin o sangue das baleas mortas. Pero hai unha luz verde que trae o vento norte e voan as areas en bátegas de neve e baleiran as praias de calquera alegría e se escoita un rumor de superficie enferma, escurísimo brado de estómago animal, avisos de pobreza e laios vergoñentos.

Cadáver de balea no extremo patio norte, lugar da factoría construída con néboa de sedimento óxido, terra do cais vermello, ancoraxe dos barcos cazadores que nunca amosan fume pois traballan envisos, disfrazados na tebra.

Hai unha hora murcha, porta do empardecer, en que chegan noticias para asombrar a vida en parálise azul. Desde o fondo da praia, onde a xente é volume indeciso, falan dun afogado. Ninguén chegou a tempo. Foi tarde de baleas.

* * *

A cidade está lonxe, está prohibida. Aínda non é nosa. Vive lonxe, habitada por persoas inquedas e nenos que camiñan sen ser recoñecidos e entran nos almacéns por unha claraboia, viaxan sen pagar na plataforma aberta e van deixando area a través dun funil para frear as rodas do tranvía. Os nenos na cidade medran con pel escura, cabelos case azuis e os ollos como améndoas de luz mate.

Os nenos poden ver todas as tardes, a contraluz das prazas, do alto dos balcóns acristalados, o perfil fuxidío dos habitantes nómades, xentes apenas feitas, estatuas que pasan e ninguén sabe nada do seu tempo inhumano.

ÁRBORE

Medra o terror no alto da magnolia.
Así medran
as raíces escuras cara á casa das augas.

* * *

I have never seen the blood of a dead whale. But the north wind blows green and the sand's fury in snowstorms stripping joy from off the beaches and under the murmurations of an ill wind pitch blackening bellows of animal gut whimpering poverty and shameful laments.

There's a whale corpse in a yard to the far north, by a factory hung in the rusted silt and murk, wharf red earth, anchorage for whaling ships that won't blow smoke as they work engrossed, night hidden.

At the ebbing hour, lintel to the gloaming, comes news that'll haunt life to a blue paralysis. From the end of the beach the crowd, a dim mass, talk of a drowning. No one appeared on time. It was an afternoon of whales.

* * *

The city is remote, forbidden. It's still not ours. It's far flung, full of restless people and kids who flit invisible dropping down into warehouses through the skylight, and they ride the flatbeds for free spilling sand down the tracks to jam the tram wheels. The children of the city age darkly with their almost blue hair and their almond eyes of dim light.

Every evening the children watch the backlit plazas from the high, glassed-in balconies, the shy profile of the nomadic city walkers, people just made, statues that pass and no one knows anything of their inhuman time.

TREE

Fear grows at the top of the magnolia.
And so grow
the dark roots homing for water.

Estou desancorado, altísimo, en silencio,
no alto da vertixe. Teño medo.

Non poderei baixar. A noite envía,
vagacenta, implacábel,
pola cortiza arriba sombra líquida
a trabarme nos pés.

¿Quen me ordenou subir? ¿Que norma cruel
me obriga a perseguir os lindes últimos
onde vivo tan fráxil, sostido só de páxaros,
e o corpo cristal morto e sen raíz?

Non hai ninguén no mundo. A tarde marcha
polo xardín abaixo
a entobarse nos ángulos de pedra
entre silvas e estrugas.

No cimo da magnolia,
onde o vento é vontade de metal
e non hai porta aberta nin sombra de arredor,
alí fiquei agónico
e o abismo na memoria permanece
como un pozo de luz.

INCENDIO

Ás tres da tarde, un ar de folgo murcho
mandou espadas tristes
de lúa negra, láminas convexas,
folerpas de carbón sobre os tellados.

E ti marchabas lenta
co teu fillo no colo, transparente,
odiadora da tebra, cega en ruídos.

Unha boca de serpes amarelas
furaba nas raíces, levantaba
un guéiser de laranxas polos troncos
a brincar nas alturas como un tigre.

I am loosed, whirling, quiet,
vertiginous. I am afraid.

I can't get down. Night drips
slow, relentless,
aslide the bark dark liquid
to bind my feet.

Who sent me up here? What cruelty
made me plague the ends of this earth
weakened, bolstered only by birds,
and my cold glass body adrift?

There's no-one left. Evening marches
across the yard
burrows between the stones
among the nettles and brambles.

On the magnolia's crest,
with the iron will of the wind
there's no shady surround or open door,
I lingered in agony
gaping back at the memory pit
like a pool of light.

FIRE

At three o'clock a breath of withered air
floated bitter blades
of black moon, buckled petals,
coal flakes down on the roofs.

And you drifted so slowly
– with your cradled child – lucid,
rancoured by darkness, blind to the noise.

Jaws of yellow snakes
lacerated the roots, streaming a geyser
of oranges tree-high
like clambering tigers.

E ti marcharas lenta, soñadora,
e a xente fixo un arco no arredor
das casas fumegantes.
A noite foi botando sedas verdes
e musgos e augas doces nas feridas
e un ovo atroz de páxaros escuros
ficou durmido, gris.

Pero logo acordaron os latexos
do chumbo subterráneo. Na vixía
do soño incandescente
ollábamos ferver un corazón
por debaixo da escoura.

Tres días perseguín a serpe moura
do xofre enlouquecido.
E ti tan lentamente, voz de fonte,
para darme paciencia, para darme
ancoraxe na luz.

SEGREDO

Sucesos que non sabes pero soñas,
tremente movemento e arreguizo
de células e arterias, un oblicuo
relato de penumbras,
salouco de alimarias en combate
na cova dos arbustos, molde húmido
de corpos que deixaron silandeiro
sinal dun peso doce, non sabemos.

Ninguén sabe dicir qué significan
os pasos extraviados entre as dunas,
a floración dos ollos, o latexo
dos labios, un aceno
de man imperceptíbel, certa sombra.
A razón do seu rumbo non se sabe.

And still you drifted slowly, dreamer,
while the people carved an arc
round the smouldering homes.
Night laying green silks
moss and sweet water on the wounds
while the bleak egg of black birds
slept, grey.

But then awoke the pulse
of buried lead. On the lookout
for an incandescent dream
we watched a boiling heart
beneath the dregs.

Three days I chased the black snake
sulphur mad.
And you, slowly, deep from the source,
giving me patience,
anchorage in the light.

SECRET

You don't know but you dream,
shivering, and the tremble
of cells and arteries,
a vague shadowy tale,
vermin whimpering thrash in battle
in the scrub, a cave, body mould
that leaves behind the moist sign
of a sweet burden, we don't know.

No one knows the meaning
of those lost steps in the dunes,
eyes abloom, fluttering lips,
the unseen sleight of hand,
that shade.
No one knows where it goes.

Hai un silencio feito de rumores,
borboriños que non atinxen voz,
argumentos sen fío, redes rotas
de palabras disoltas, de fragmentos
nocturnos, teas íntimas
e tacto como brétema de flor.

E non sabemos e ninguén nos di
pero pasa entre nós a tremesía
dun ar tépedo, abalo dun alustro
fincado en cerne estraño, non sabemos.

Unha inqueda pregunta anda a buscar
respostas que non sabes pero soñas
e tremes sen saber.

    * * *

Na praia medra un astro desmedido,
unha maré imposíbel, a de nunca.

Ando a pedir memoria para consolarme da deriva.
Ao durmido conceden
o rumbo da avenida que agabea
beireada de laranxas bravas.
E subo
da man dunha rapaza lene,
a dos primeiros ollos confundidos nos meus.
Na súa alcoba,
enleados na colcha,
extraviados os dous na luz da pel.
Detrás do vidro opaco a nai vixía.
A nai de ombros atléticos. A nai tan poderosa.

Na praia medra un astro desmedido
e a xente canta no pavor da onda.

There's a silence of rumours,
whispers that go unvoiced,
loose threads, torn nets
of scattered words, of night-
time shreds, the cloth rub
like the touch of blooming haze.

We've no idea and no one says
but the warm air shivering between us
fell from a lightning bolt, hammers
at the strange centre, we don't know.

A restless question is after answers
you don't have but you dream
and you tremble unknowing.

* * *

A star explodes on the beach,
an impossible tide like never before.

I'm tacking memory to quell the drift.
To the sleeper
the rising road
lined with wild oranges.
I take a tender
girl by the hand
the first eyes I ever fell into.
The two of us in bed
ensnared in blankets,
adrift on the glow of skin.
Behind the smoked glass the watching mother.
Her ready shoulders. The mighty mother.

A star explodes on the beach
as the people sing in fear of the wave.

* * *

Alí vivimos todos un pouco desnortados.
Durmía un ar de agullas de carbón
e cheiro a sangue duro polas prazas
da pedra ametrallada.

A miña irmá no gume
da lenta despedida, rúa cega
da estación terminal.

O pai e a soidade, mestre
nas artes laboriosas da paciencia,
coas mans sempre na luz. Erguer a casa
e logo da ferida, outravolta a camiñar.

Eu vexo cada irmán na súa hora,
idade brava, grave
vida que nos dá o camiño ventureiro.

Un por un os fillos, miña nai,
un pouco desnortados.

* * *

Pai de antiga profesión: poñer na boca
dos cativos os alimentos mastigados, retirar
as espiñas, vixiar
a cortiza dolorosa, o crecemento
animal das carabuñas, insistir
en que almorcedes antes
de baixar ao trafego do mundo. Fillo
e determinadas técnicas amargas, o extravío
fronte ás desmedidas montañas de carbón.
E labor de entusiasmo, areas
a escorrer entre os dedos coma estrelas.
Home pai no horizonte dos días máis delgados,
os que non teñen pel e manifestan
a osamenta tristísima con musgo de semente
mentres quero entender a nación do voso tempo,
onde non podo entrar.

* * *

We were all a bit lost then.
The dormant air of needling coal
and the blood stench
from the pockmarked plaza.

My sister skirting round
a long goodbye, a blind
street to the last station.

Father and his solitude, master
of the artful graft of patience,
hand to the light, raise the house
then heal the wound, then out.

I mind each brother in line,
rough times, a hard
life on the winding road.

One by one the children, my mother,
a bit lost.

* * *

A time-honoured father: feed chewed
food to the kids, take out
the bones, keep an eye
on the smarting skin, the animal
growth of seeds, insist on
breakfast before going down
to the rush of the world. Son
and sundry bitter arts, lost
in front of an endless mountain of coal.
Joy at work, sands running
through fingers like stars.
Man, father on the horizon of thinner days now,
skin and bone strung up
on the sorry scaffold with seed moss
as I try grasp the country of your time
that I'll never enter.

* * *

na mesa todos saben que estás ausente atado con arame
que toda a noite se escoitou o fío dunha queixa morna como
    humus a arder
por debaixo da terra calcinada
que tes corpo de pai e estás moi canso

pero non eu
alleo que non sabe
como fuches levado entre paredes de xanelas rotas

e agora estás arriba
no centro do chan grande circundado de entullo
e de xente inimiga que non fala

ou talvez eu son ti
que tes a pel do pai e o cabelo profundo

eses ollos de can
a preguntar por que

* * *

o derradeiro barco está dobrando o cabo do horizonte

eu fico abandonado no peirao
debaixo dunha sombra de animal desesperante e arredor
a xente de pel gris ameaza os meus ollos

estou preso no rumor do teléfono
e outravolta aquela voz de tantos días que nunca me deixou marchar

a cama de lenzois confusos
e as paredes de gangrena triste e as calellas sen boca

o derradeiro barco está dobrando os ángulos da tarde

aquela voz doente no tubo do teléfono

esta interminábel soidade

* * *

everyone at the table knows you're absent, bound up as
all night the whimpering warmed the air like smouldering
   mulch
under scorched earth
you've a father's body now and you're exhausted

but not me,
I'm a stranger here, clueless to how
you were carried out between walls of broken windows

and now you're up there
in the middle of the big floor surrounded by rubble
and silent enemies

or maybe I am you
with a father's skin and thick hair

and those hangdog eyes
asking why

* * *

the last boat is clearing the horizon

while I am stranded on the pier
in the shadow of a black dog and all around
grey faced people threaten my eyes

I am falling down the phone again
and there we go that voice that keeps me holding on

the tangled bedding
gangrenous sad walls and dead end streets

the last boat is rounding the angles of the evening

that griping voice on the phone

this endless heartsickness

* * *

cama da miña nai no fondo mudo

cama na altura de area que se derruba
e anuncia aos nenos a distancia da terra imposíbel

entrei na vosa alcoba levando nos brazos o corpo dun animal moi triste
era o corpo adolescente que choraba desolado
era o corpo do meu propio nome entregado en ofrenda

pregunto por que ouvea toda a tarde este can de ollos remotos

será un home covarde cando medre
ou será o destemido
que camiña sempre pola beira do cantil con ollos claros

como os da nai
que non pode cantar o nome dos seus fillos
e vive dentro dela
no fondo mudo

* * *

estiveches toda a noite de varios meses a circular por rúas e
    calellas cegas
na cama de rodas onde dormes confusa latexante
sen saber nunca por que

por que te levan arriba e abaixo no interior descomunal
por que te impulsan e logo te deixan desprendida

desancorada

na hora en que comezan os rumores dun motor de succión
que che foi roubando paseniñamente a luz

xa non sei como chamarte para que marches
polo teu propio pé

* * *

my mother's bed in the quiet dark

a bed as tall as crumbling sand that lets fall
to the kids the impossible distance of land

into your room I went a sad animal in my arms
it was the body of an inconsolable boy in tears
it was my own body being offered up

why, I ask, the dog with the faraway eyes all-night howling

you'll be a coward when you grow up
or you'll be fearless
always walking the cliff edge with your clear eyes

same as your mother's
who can no longer sing her children's names
and lives wrapped in herself
in the quiet dark.

* * *

for months you spent whole nights wandering streets and
    back alleys
sleeping on a trolley pit-a-pat out of it
and never knowing why

why all the ups and downs in this huge hall
why all the push and pull just to let you loose

drift

and just when the suction motor rumbles
slowly stealing your light

I can't reach you anymore, to tell you to let go
to leave on your own two feet.

* * *

Sinto a traxedia dos trens que atravesan a chaira
violentos e tristes.
Traspasan a montaña nocturna e van desesperados.
Desartellados dormen dentro os seres inocentes.

Os trens, os trens da noite, os loucos
que percorren o mundo e trazan
unha curva cinxida e largacía entre solpor e abrente.

Tremen as augas do río por debaixo das pontes,
conmóvense as alcobas altas a carón do camiño de ferro.

Desde esta altura sinto a angustia dos que van soñando.

O tren perpetuo ouvea nos cavorcos do monte
e a xente do arredor canta moi alto
para non escoitar
a voz da chama azul.

Os trens, os trens da noite, os loucos
violentos e tristes.

* * *

Fronte a nós os rostros da ruína. A desolada
paisaxe desta hora que semella a derradeira.
Unha muller camiña de regreso
por calellas oblicuas, quebradizas,
e ofrece á luz da tarde
os ollos neutros da desesperanza.

Foi decretado por lei o desalento.
A súa química aliméntase coas sobras.

Veñen subindo esqueiras as estatuas brancas que non poden pensar
e nos seus labios vemos os filamentos amarelos da desolación.
Négaselles vida. Imposibilítase
calquera saída.

* * *

I feel the tragedy of violent and sad trains
hauling across the plain.
In desperation across the night black mountains.
Dismantled, inside the innocent sleep.

The trains, the crazy night trains,
plotting a curve across the world
that clings to the vast bulk between dusk and dawn.

Under the bridges water trembles
the high bedrooms by the tracks quiver.

From up here I feel the anguish of the sleeping softly.

The train howls endless through the mountain pass
and all around the people sing loud
drowning out
the voice of the blue flame

The trains, the crazy, violent and sad
trains.

* * *

Facing us the faces are in ruins. The desolate
landscape now seems the last.
A woman walks home
down dark, crumbling alleys
and offers to the evening light
her empty eyes.

Despair was decreed by law.
The remains fuel for chemistry.

The dumb, blank statues come climbing up the rungs
and hung yellow from their lips is desolation.
Life denied. A barricade
at every exit.

Dan os habitantes voltas e voltas arredor,
cadaquén a xirar no remuíño do seu propio calendario negro.

Fronte a nós os rostros sen deseño, sen tonalidade,
cabelos incoloros, voz
apenas temperada e mans
que nada apañan senón as propias roupas desfondadas.

É a marcha desartellada dos corpos sen dirección nin hora decisiva.
Deixan que o tempo os leve
pola avenida extrema destes días que semellan derradeiros.

Ninguén prende a fogueira.

The inmates are spun a macabre dance,
twirling each in each through their own dark time.

Facing us the pale, vacant faces,
grey hair, their voice
barely warm and hands
that hold nothing but their own worn clothes.

This is the deranged march of the bodies out of time and going nowhere.
Time takes them all down
the final avenue of these our last days.

Nobody lights the fire.

CHUS PATO

PHOTO: XOEL GÓMEZ

Chus Pato (Galicia, 1955) has published ten collections of poetry, including *m-Talá* (2000), *Hordas de escritura* (Hordes of Writing, 2008), and her latest *Carne de Leviatán* (Flesh of Leviathan, 2013).

Her work has been translated into various languages – especially English and Spanish – and has been included in prestigious Galician, Spanish, and international anthologies. Pato has been invited to literary festivals in Barcelona, Rosario, Buenos Aires, Havana, Bratislava, Rotterdam, and to the Felix Poetry Festival (Antwerp, Belgium). In the Autumn of 2015, she was invited to read her poetry at the University of Massachusetts Amherst and at the Woodberry Poetry Room at Harvard University.

Among her literary awards, are the Losada Diéguez prize for *Nínive* (Nineveh), the Critics' National Award and, again, the Losada Diéguez prize for *Hordas de escritura*. In 2014, after the publication of *Carne de Leviatán*, the Galician Irmandade de Libreiros (The Booksellers' Guild) distinguished her as the best author of the year.

* * *

eu, Davinia Bardelás vin, vin cómo na xornada do 18 de decembro. Vin a MATA. Cómo do pescozo da porca, inmemorial, manaban litros de sangue-estirpe e todo acontecía como nunha táboa do medievo; cómo un home de azul-overoll era arrastrado pola marrá cara aos estertores da agonía e cómo os dous cochos eran dispostos baixo a enramada en paralelo, o mesmo ca vías de ferrocarril que nunca se han xuntar e finalmente ardidos

estes son os dous grandes fachos de Nadal

e este, que agora lerás, o infinito da Linguaxe

a eternidade son eu, no centro do gabinete, pesando na báscula inexistente toda unha colleita da patacas

la mer allée / avec le soleil

e así realmente rematan os outonos.

* * *

XONÁS: Pero que facía ela alí, no areal, so parasol de estrelas?, tan anciá, co seu bikini e o esmalte das unllas escunchado, coa súa pamela esculpida coma un niallo de curuxas – como se a curuxa emprendera o seu voo ao empardecer – esperaba a morte?, esperaba un heroe patronímico, parvo e defunto, para que lle separase a cabeza do tronco? e, de ser así, para que quería ela un lingote de ouro alquímico como prezo?, por que cantaba, mentres destilaba litros de xenebra, as cancións da súa mocidade?, era aquel mar a Estixia?, mentres California ardía e Euridice, a nova Euridice, embarca. E Pentesilea, era varón Pentesilea?, que caste de varón?, era muller Aquiles?, a loira Marilyn, e Tancredo, e Clorinda? Catro serán os meus proxenitores.

DEHMEN: Entro e saio do texto coma quen entra e sae da primavera. As miñas palabras son as palabras de Xonás, as palabras de Olaf. Non recoñezo o mundo. Escribo o manicomio. *E coas entretecidas barcas, sucabamos un mar enorme e axitado e o abismo poboado de monstros*

* * *

I, Davinia Bardelás, saw, I saw how it ran through the workday of December 18th. I saw the SLAUGHTER. How from the pig's neck, immemorial, ran litres of blood-stock and how it all happened like a medieval tableau; how a man in blue overalls was lugged by the sow to the last agonizing gasps and how the two pigs were laid side by side under the branches, like train tracks that will never meet, and were then scorched.

these are the two great beacons of Christmas

    and this, what you're about to read, the infinity of Language

and eternity is I, in the middle of the study, weighing on the non-existent scales the entire crop of potatoes

    la mer allée / avec le soleil

and that's how the autumns are killed off.

* * *

JONAH: But what was she doing there in the sand, under the twinkling parasol, so aged, with her bikini and cracked nail polish, her straw pamela carved like a parliament of owls – as if the owl were about to take flight into the gloaming – was she expecting death?, was she expecting a patronymic hero, dumb and deceased, so he could separate her head from her body? and if this were the case, why did she want a gold ingot as the price?, why was she singing, as she distilled litres of gin, the songs of her youth?, was that the Styx? as California was burning and Eurydice, the new Eurydice, set sail. And Penthesilea, was Penthesilea a man?, what class of a man?, was Achilles a woman?, Marilyn blonde, and Tancredo, and Clorinda? Progenitors I will have four.

DEHMEN: I move in and out of the text like someone coming and going through spring. My words are Jonah's words, Olaf's words. I don't see the world. I write the madhouse. *And with the boats in plaits, we ploughed through a huge, churning sea and the monstrous abyss*

XONÁS: se bebes o límite estás no dioivo. Pureza. A pureza non pode establecerse. O libro é do azar. No azar está o Infinito. Se bebes o dioivo. Se bebes a pomba. Se bebes a Arca, tamén a Arca e a promesa. E os fillos de Noé e a viña – existían as ogresas –

– ti constrúe unha Arca que eu vou mandar un dioivo
e era o día 17 do segundo mes, e as augas erguían a Arca por riba das montañas

– porei un arco iris as candeas exactas do solsticio, moito me sabe! se devoras o poema, se o confundes cun cofre, coa momia de Tutankamon. Se te envolves nun papiro. Se te metes nel

NEBAMUN: louvor para os defuntos
– ti cabalga o lume, dentro está Sigrid, na casa dos incendios

EMINIA: quedas da beira de Deus, no seu líquido amniótico

XONÁS: porque nós coñecemos sen enmoquetar a selva, o encoro de gardenias represado

DEHMEN: tanta xente por matar, eu tan falta de tempo!
        madre Natureza.

                Adeus Lírica!

        marqués – Au revoir, Manchuria!

    * * *

– o que vostede escribe é representativo?
– nada representa, produce
– ¿busca un significado?
– nada significa, funciona

//

– trátase dunha lingua metafísica?
– non, trátase dunha lingua transcendental

JONAH: if you knock it all back you're in the deluge. Purity. Purity can't right itself. The book is chance. In chance Infinity. If you sup the deluge. If you sup the dove. If you sup the Ark, that too, the Ark and the promise. And Noah's children and the vine – there were once ogresses –

– build an Ark and I will send the flood
and it was the 17th day of the second month, and the waters lifted the Arc over the mountains

– I will pour a rainbow the exact candles of the Solstice, oh how I love it! If you devour the poem, you confuse it with a casket, with Tutankhamun's mummy. If you wrap yourself in papyrus. If you climb into it

NEBAMUN: praise the dead
– you ride the flame, Sigrid is inside, in the house of conflagration

EMINIA: you reside at God's side, in his amniotic fluid

JONAH: because we know, without carpeting the jungle, the restrained reservoir of gardenias

DEHMEN: so many to kill, I've not enough time!
            Mother Nature.

                              Goodbye Lyric!

                    Marquis – Au revoir, Manchuria!

        * * *

    – Is what you write representative?
    – nothing represents, it generates
    – are you after meaning?
    – there is no meaning, it works
    //

    – is it to do with a metaphysical language?
    – no, it is more a transcendental language

- ideolóxica?
- non, matérica
- edípica?
- non, esquizofrénica
- imaxinaria?
- non, non se trata dun idioma imaxinario, trátase dunha
    lingua non figurativa
- simbólica?
- non, real
- estructural?
- non, maquínica
- molar, gregaria?
- non, molecular, micropsíquica e microlóxica
- expresiva?
- productiva

* * *

o exterior do poema: a súa estatura, a cor dos seus ollos, o sexo
    ao que pertence; cándo
come, durme, camiña é diferente a cando dicimos: pensamento,
    eu, conciencia?

existe un interior / exterior do poema?

todas estas palabras (intelecto, mente, razón…) pertencen ao interior?

            é privada a lingua que o poeta utiliza cando configura
            o interior do poema?

existe un exterior?

é privado?

                    a linguaxe é un labirinto de camiños
                    un tráfico

*

- ideological?
- no, material
- oedipal?
- no, schizophrenic
- imaginary?
- no, it is not an imaginary language, it is a non-figurative
   language
- symbolic?
- no, real
- structural?
- no, machinic
- molar, gregarious?
- no, molecular, micropsychic and micrologic
- expressive?
- productive

* * *

the outside of the poem: its height, the colour of its eyes, the sex to
   which it belongs;
when it eats, sleeps, walks is it different than when we say:
   thought, I, consciousness?

is there an inside / outside of the poem?

all these words (intellect, mind, reason…) do they belong to the inside?

      is the language the poet uses private when shaping
      the inside of the poem?

is there an outside?

is it private?

            language is a maze of pathways
            traffic

*

unha voz interior, escoitamos esa voz interior; agardamos ordes,
agardamos instruccións desa voz interior

pero unha voz interior componse de todos os textos escritos, lidos
por eses ollos-voz, de todo o que levamos falado, de todo o que non é
verbal (audible)

agardamos ordes, e así como escribimos?

dicimos *é un poema inspirado*
escoitamos a súa voz interior (a do poeta)
agardamos ordes, instruccións desa voz interior, inspirada, do poeta

damos gracias á deidade por esta concordancia entre o símbolo e a
cousa, entre a linguaxe e as cousas

              *

alguén máis ca min podería sentir <u>esta</u> dor?
é privada a linguaxe na que expresamos os nosos sentimentos?
é privada a lingua na que escribo?

                        os cisnes, non están
                        vai demasiada calor para eles

            * * *

Non, o paraíso non é a infancia, o paraíso é a animalidade; é o
paraíso o que perdemos

a luz verde, líquida / dos carballos, as augas dun río e o corpo na
corrente
préganse (as augas, a luz)
nutricias

durante todo un verán, ás horas de máis calor, recluída na gale-
ría, simulei ler *As marabillosas aventuras de Antífer*; trazaba na mesa
rutas imaxinarias e infusas, aprendía calma, a concentración que
envolve o traballo, a separación do mundo

an inner voice, we listen to this inner voice; we await orders, we await instructions from this inner voice

but an inner voice is made up of all those written texts, read by these eyes-voice, is everything that we have talked about, everything that is not verbal (audible)

we await orders, is that how we write?

we say *it's an inspired poem*
we listen to her inner voice (the poet's)
we await orders, instructions from this inner voice, inspired, the poet's

we give thanks to the deity for this accord between the symbol and the thing, between language and things

   *

could anyone aside from me feel <u>this</u> pain?
is the language in which we express our feelings private?
do I write in a private tongue?

                the swans, they're gone
                it's too hot for them

    * * *

No, paradise is not childhood, paradise is animality; it is paradise what we have lost

the green light, liquid / of oaks, the waters in the river and the body in the current
they fold over themselves (the waters, the light)
nourishing

for a whole summer hidden afternoons on the veranda, I tried to read *Captain Antifer*; tracing imagined and inspired paths across the table, I was learning calm, the concentration that dominates the work, separation from the world

é así como un brazo se converte en ritmo

nós case non temos ruínas, toda a nosa anterior produción agraria
é unha ruína, pero dos campos non se di "están arruinados"; se
tiveramos ruínas teriamos memoria
teño a cabeza chea de ruínas

sobre a ruína perfílase con claridade a Historia

a ruína é indistinta
abrimos nela unha vea de mineral, un curso nas entrañas

un mito linda entre carne e palabra
un mito Eu
memoria, instante, de inmediato ruína

todas (as antepasadas) somos máis ou menos idénticas
sentimos o trebón da voz no diafragma, o lóstrego do pensamento
na bóveda

simias, dilatan a mente
e ti, que me amas.

Néboa, a cadela, continuou a darlle voltas á súa imposibilidade de
caza e os esquíos inmobilizáronse indiscerníbeis na madeira, logo
dirixiuse cara a un prado, un dos cabalos espantaba de cando en vez
as moscas que por un instante revoaron incertas para logo pousárense
comodamente no seu lugar de preferencia

como este baleiro, torre Hölderlin
ti que me recibes

Babilonia.

   2

así o poema, un sangue que mantén á raia aos defuntos, que todo
o atrae

o mito – ao igual que o eu, a memoria, a greta, o tempo, a cópula e
o soño – une o inaudito

and so an arm becomes a rhythm

we have almost no ruins, all of our past agricultural output is
a ruin, but I wouldn't say that the fields "are in ruins"; if we
had ruins we'd have memory
my head is full of ruins

History clearly shapes itself around a ruin

the ruin is faint
we mine a vein through it, a course down through the bowels

a myth rubs up against flesh and word
an I myth
memory, moment, suddenly a ruin

we're all (the distaff side of history) more or less the same
we feel the thundering voice in the diaphragm, the lightning
thought in the barrel vault

simians, enlarge the mind
and you, who love me.

Mist, the bitch, kept tugging at the halter that kept her from
the hunt and the squirrels lamped indistinct in the wood,
then she headed for a meadow, one of the horses would
occasionally spook the flies that would flit for a hazy instant
then settle again on their favourite spot

like this void, Hölderlin tower
you receive me

Babylon.

   2

so the poem, blood that keeps the dead at bay, attracted by
everything

the myth – the same as I, memory, crack, time, copulation and
dream – unites the inconceivable

cara a unha porta esmaltada azul onde os animais son deuses
e implosionan.

FISTERRA

Sei que a nada se estende ata o confín, onde o meu alento
se quebra. A nada é a miña boca, pola boca entran os
estremecementos da carne. Algo, alguén, contrae a miña boca,
estende a nada, enuncia o impronunciábel, un suxeito, eu.
Algo, alguén, emite unha prohibición.

A miña posición no deserto é a de quen se sitúa fóra de bando,
fóra de bandeira, fóra da placenta que posibilita a vida da
comunidade, a súa reprodución. Descoñezo se máis persoas
comparten a miña sorte. Algo, alguén, todos os días, cada
milésima de segundo emite a prohibición.

¿Que política, aquela que abrolla da escritura, das pulsións do
idioma, dun suxeito que non pode atarse e impronunciábel se
estende (psique, vida) ata os bordos da Terra, que se concibe
espectro entre outros moitos e se ensambla nos múltiples
órganos do territorio, ata as fisterras onde se fracturan os
soños, as ideoloxías, os pneumas, os defuntos? Que política,
fóra de bando, fóra de bandeira, onde se fractura o alento?

META

Desapareces
elas
as sereas
cantan
"perderemos o enlace perderemos o enlace
perderemos"
é un canto poderoso no seu erro
e árido e persuasivo
pero a voz
ao igual que a das meniñas balbucientes
a dos que agonizan

facing a blue glazed door where the animals are gods
and they implode.

FISTERRA

I know the nothingness goes all the way to the brink, where my
breath founders. It is nothingness and it is my mouth, the tremors
of the flesh enter through the mouth. Something, someone,
purses my mouth, stretches the nothingness, pronounces the
unspeakable, a subject, I. Something, someone broadcasts a ban.

My place in the desert is of one who stands beyond the crowd,
beyond the flag, beyond the placenta that makes community
life possible, its reproduction. I don't know if there's anyone
as lucky as me. Something, someone, every day, every
millisecond, broadcasts a ban.

What politics, those that spurt from writing, from the
thrust of language, from a subject that can't be tied down
and, unspeakable, gains (psyche, life) the ends of the Earth,
that imagines itself a ghost among many and marries the
multiple organs of the land to the Land's Ends where dreams,
ideologies, pneumas, the dead are all cracked? What politics,
beyond the crowd, beyond the flag, where the breath cracks?

META

You vanish
the sirens
they sing
"we'll miss the connection we'll miss the connection
we'll miss"
there's a power of song in their mistake
it's dry and persuasive
but the voice
just like the voices of the babbling girls
like those who agonize

as voces gravadas
as dos aparecidos
as das paridas
non o é
humana
(completamente)
O que escribo é esa desaparición
no corpo que elas ditan
na súa posibilidade
escribo a voz coma un país estranxeiro
"perderemos o tren perderemos perderemos
quereriamos durmir aquí quereriamos"
Elas
as que viaxan

Abandonariamos os remos
e todo goberno
amarrado ao mastro

DIALOGO

"na lingua das bestas
señor
nesa lingua
escribo"

CONTRA OS ÍDOLOS

Querías
unha palabra
que se mirase
no seu corazón de palabra
que reflectise no seu rostro
toda a beleza do mundo

sería a súa voz a do anxo

como un brâhman

the recorded voices
the ghost voices
the new mothers' voices
it is not
human
(completely)
What I write is that disappearance
in the body that they inspire
with their possibility
I write the voice like a foreign country
"we'll miss the train we'll miss it we'll miss it
we'd want to sleep here yes we'd want to"
They
who travel

We'd abandon the oars
and all rule
tied to the mast

DIALOGUE

"in the language of the beasts
sir
that is the language
I write in"

AGAINST THE IDOLS

You were after
a word
that looked deep
into the heart of the word
that reflected in its face
all the beauty of the world

it would be the voice of the angel

like a Brahman

compoñerías un Anna-Viraj
con el crearías un deus

o sacrificio é un deus

e ti nutriríaste de gloria

2 *(política)*

Cando todo goberno cese
cando todas as plumas do anxo caian

canta agora ti
esta páxina en branco

3

Nada contén a páxina
so unha lingua que en si se contempla e acouga

e se abre para que a digas ti eu
calquera

DECIDES IR CARA ESA BOCA (UNHA VOCACIÓN), EN CONSECUENCIA EMPRENDE(S) UNHA VIAXE EN BARCO

Sucede cada vez que un poeta emprende unha viaxe en barco
nese intre
o mundo
agoniza

– ao ser de obra de dezaoito anos
Epicuro desexou formarse como filósofo
emprendeu unha viaxe en barco
Grecia
a filosofía clásica
agonizaba

you would write an Anna-Viraj
and create a god

sacrifice is a god

and you would feed on the glory.

2 (*politics*)

When all government ceases
when all the angel's feathers fall

then you sing
this white page

3

Nothing holds the page
only a language that contemplates and calms itself

and it opens up for you me
for anyone to speak

YOU DECIDE TO GO FOR THAT OPENING (A VOCATION), AND SO (YOU) SET SAIL

It happens every time a poet sets sail
in that instant
the world
agonizes

– after eighteen years
Epicurus wanted to become a philosopher
he set sail
Greece
Classical philosophy
it was agonizing

il, Epicuro, concibiu aos deuses e as deusas coma un conxunto de átomos rodeados de baleiro, máis tarde inventou o azar, unha desviación oblicua, chamoulle *cliname* –

calquera pode levar unha vida que considera "natural"
en consecuencia nunca tería abandonado a cidade de partida
calquera vai cara esa boca
establécese nun bosque

isto é o que sucede cando un poeta emprende unha viaxe en barco
o mundo enteiro
(as escrituras que o preceden as escrituras dun futuro)
a Grecia clásica
agoniza

* * *

(...) "as sibilas somos Xeografía
sostemos contacto visual cunha fonte de luz
ou calor
á que non podemos achegarnos
esa distancia é a nosa visión
que traducimos
pentecostalmente
a calquera tipo de voz ou alfabeto

as sibilas os pámpanos o negro bubón da peste
e os acios e os anxos e os ouros
somos pel que cobre a dureza da pedra
somos barrocas e polícromas
e algunhas abrigamos a cabeza co tocado das fadas
por esa pel respiran as quimeras
e os ouros son abstractos
coma un eco"

na cara sur da Ponte
os cirros
trazan unha malla mesta no seu voar
excédena

tal o natal alza o seu ollo

he, Epicurus, conceived of the gods and goddesses as a set of atoms surrounded by emptiness, he later invented chance, the random swerve, called it *clinamen* –

anyone can lead a life they consider "natural"
and as a result would never have left their native city
anyone facing that opening
would end up in the woods

this is what happens when a poet sets sail
the entire world
(the writings that precede the writings of a future)
Classical Greece
agonizes

* * *

(...) *"we Sibyls are Geography*
we keep watch on the light source
or the heat
that we cannot approach
which distance is our vision
we translate
pentacostally
to whatever class of voice or alphabet

the Sybils the vines the black tumors of the plague
and the clusters and the angels and the gold leaf
we are skin that covers the hardness of stone
we are baroque and multicoloured
and some of us cover our head with fairy bonnets
daydreams breathe through this skin
and the gold leaf is abstract
like an echo"

on the south face of the Bridge
the cirrus clouds
trace a thick mesh in their flight
transcending it

so birth lifts an eye

non é doméstico
tampouco o meu camiñar
onde non hai máis ca granito e auga e area

salvaxe é que a humanidade diga as palabras
salvaxe é a atención coa que tu escoitas

a liña
fronte a que, sen esperanza, mantés os ollos pechos
falla
non caes do lado das tebras

que o comprendas

PÓDESE ESCRIBIR COA IMAXINACIÓN UN POEMA QUE NON SE QUERE ESCRIBIR? CARTA A UN POETA IMPERIAL

(...) malia todo
ti pensácheste coma un grego
vaia! coma un romano que imita un grego
é dicir, coma un cristiá
seguro da súa fe
ecuménico
e non menos certo da forza dos seus exércitos

seriamente
aquí
só estamos nos
os e as que non podemos ser ouvídas nin ser vistas

sostéñennos as oxivas
imos en tren e dicimos
"adeus, adeus"

e imos esbarroando en castelos enormes
ou fragas
e nos cumes
cristas que cortan a pel
e desafían os ventos

it is neither domestic
nor is it my way
where there is nothing more than granite and water and sand

savage it is that humanity speaks the words
savage it is the attention with which you listen

the line
against which, hopelessly, you keep your eyes shut,
fails
you don't slip onto the dark side

understand this

**CAN YOU WRITE WITH YOUR IMAGINATION A POEM THAT DOESN'T
WANT TO BE WRITTEN? LETTER TO AN IMPERIAL POET**

(…) Despite everything
you thought yourself a Greek
go on! like a Roman imitating a Greek
that is, like a Christian
sure of his ecumenical
faith
and no less certain of the force of his armies

seriously
here
it's just us
the men and women who cannot be seen or heard

the pointed arches preserve us
we take the train and say
"goodbye, goodbye"

and we tumble down into enormous castles
or woods
and on the peaks
ridges that shear the skin
and defy the winds

como se a vida, a vida inmortal, se nutrise do eterno morrer
   que agroma en cada un

como se a guerra en Grecia fose algo diferente ao arame de espiñas
ou o asasinato

ti as nais
os lagos

detrás do espello non é o mesmo que detrás do aramado
detrás do espello
un diálogo *A República*
e unha culpa / un orixinal
feliz

quen aquí falamos somos pedras

iso
o voo dos grous
coñecémolo

as if life, immortal life, fed off the eternal death that sprouts
    from each one of us

as if the war in Greece was any different from the barbed wire
or murder

you, the mothers,
the lakes

behind the mirror is not the same as behind the wire fence
behind the mirror
a dialogue *The Republic*
and guilt / an original
joy

who here speaks is stone

this
the flight of cranes
we recognise it

YOLANDA CASTAÑO

PHOTO: PEDRO CASTRO

YOLANDA CASTAÑO (Santiago de Compostela, 1977) has been publishing poetry for over twenty years. Her six poetry collections have been awarded prizes such as The Spanish Critics' Award, Ojo Crítico (for the best published book by a young Spanish poet), Novacaixagalicia, 'Writer of the Year', and she was a finalist in the National Poetry Prize. Bilingual editions (Galician-Spanish) of her most recent collections have been published by Visor Libros.

A dynamic cultural activist, Castaño has directed cultural projects with Galician and international poets since 2009: workshops on poetry translation, annual poetry festivals, monthly cycles of readings, etc. A philologist and a video-artist, she also coordinates creative writing projects, and has presented readings, video creations and other artistic productions in countries all over Europe and America, as well as Tunisia, China and Japan. She worked for TV for several years and contributed articles to a number of journals. Her writing has been translated into twenty different languages and she has edited and translated contemporary poets.

HISTORIA DA TRANSFORMACIÓN

Foi primeiro un trastorno
unha lesiva abstinencia de nena eramos pobres e non tiña nin
    aquilo
raquítica de min depauperada antes de eu amargor carente unha
parábola de complexos unha síndrome unha pantasma
(Aciago a partes iguais botalo en falla ou lamentalo)
Arrecife de sombra que rompe os meus colares.
Foi primeiro unha branquia evasiva que
non me quixo facer feliz tocándome co seu sopro
son a cara máis común do patio do colexio
a faciana eslamiada que nada en nada sementa
telo ou non o tes renuncia afaite traga iso
corvos toldando nubes unha condena de frío eterno
unha paciente galerna unha privada privación
(nena de colexio de monxas que fun saen todas
anoréxicas ou lesbianas a
letra entra con sangue nos cóbados nas cabezas nas
conciencias ou nas conas).
Pechei os ollos e desexei con todas as miñas forzas
lograr dunha vez por todas converterme na que era.

Pero a beleza corrompe. A beleza corrompe.
Arrecife de sombra que gasta os meus colares.
Vence a madrugada e a gorxa contén un presaxio.
¡Pobre parviña!, obsesionácheste con cubrir con aspas en vez de
co seu contido.
Foi un lento e vertixinoso agromar de flores en inverno
Os ríos saltaban cara atrás e resolvíanse en fervenzas rosas
borboletas e caracois nacéronme nos cabelos
O sorriso dos meus peitos deu combustible aos aeroplanos
A beleza corrompe
A beleza corrompe
A tersura do meu ventre escoltaba á primavera
desbordaron as buguinas nas miñas mans tan miúdas
o meu afago máis alto beliscou o meu ventrículo
e xa non souben qué facer con tanta luz en tanta sombra.

Dixéronme: "a túa propia arma será o teu propio castigo"
cuspíronme na cara as miñas propias virtudes neste

STORY OF THE TRANSFORMATION

It began as disorder
hurtful restraint as a kid we were poor and had less than
    nothing
rickety indigence before I wanting grief
a parable of complexes a syndrome a ghost
(it is as dire to miss it as lament it)
Coral shadow shattering pearls.
It began as a slippery gill whose
passing breath left me destitute
The plainest face in the playground I matter
not a whit and I'll neither grow nor sow
you've got it or you don't renounce it comply swallow
a maelstrom raven sky of eternal cold judgement
a set westerly a private privation
(a nuns' runt like all the rest
each one a lesbian or anorexic
the letter bet into the blood the hands the head
the conscience the cunt).
I shut my eyes and hoped beyond hope
to become once and for all everything I was.

But beauty corrupts. Beauty corrupts.
Coral shadow squandering pearls.
Day breaks conquering and there's boding in its gullet
You fool! bedevilled with box ticking
and not what they held inside.
It was an idle giddy burst of flowers in winter
The rivers leapt back to themselves in pink waterfalls
butterflies and snails born from my hair
The smile of my breasts fuelled airplanes
Beauty corrupts
Beauty corrupts
My supple belly guided by spring
whelks spilled over my tiny hands
high praise pinched my heart
and I didn't know what to do with all that light in all that shadow.

They said: "your weapon will be your punishment"
they spat my virtues in my face in this

clube non admiten a rapazas cos beizos pintados de vermello
un maremoto sucio unha usura de perversión que
non pode ter que ver coa miña máscara de pestanas os
ratos subiron ao meu cuarto enluxaron os caixóns da roupa branca
litros de ferralla alcatrán axexo ás agachadas litros
de control litros de difamadores quilos de suspicacias levantadas
só coa tensión do arco das miñas cellas deberían maniatarte
adxudicarte unha estampa gris e borrarte os trazos con ácido
¿renunciar a ser eu para ser unha escritora?
demonizaron o esguío e lanzal do meu pescozo e o
xeito en que me nace o cabelo na parte baixa da caluga neste
clube non admiten a rapazas tan ben adubiadas
Desconfiamos do estío
A beleza corrompe.
Mira ben se che compensa todo isto.

PEDRA PAPEL TESOIRA

Cando miran os ollos pechados,
as rodas vólvense un xogo de mans.

(O libro da poesía ábrese de máis
e convértese en baralla).

Non é arrogante acender unha luz,
tampouco miserable escribirmos ás escuras.

Non perdas áncora ao mundo,
nin tacto co que as palabras soporta,
non temas en serrarlle as patas
para que poida chegar aínda máis alto.

Aquí
xeramos linguaxe.

Realmente escribimos
porque unha imaxe vale máis ca mil palabras.

club we won't have girls with scarlet lips
a vicious tide of filth gaining interest
that has nothing to do with my mascara
the mice burrowed into my room and dirtied the linen drawers
litres of scrap pitch lurking secretly litres
of control litres of mud-slingers kilos of suspicion raised
with just the arc of my eyebrows you should be hog-tied
stained grey and all trace erased with acid
renounce who I am just to write?
they skinned me alive for my long tapering neck
for the hair that springs from the nape in this
club we won't have girls who strut
We do not trust summer
Beauty corrupts.
Make bloody sure it's worth it.

ROCK PAPER SCISSORS

When shut eyes can see
the cycle becomes a sleight of hand.

(The poetry book opens too much
and up pops a deck of cards).

It's not cocky to flick a switch,
or afflicted to write in the dark.

Don't let go your hold on the world
or lose touch with the word footing,
take a saw to its legs
you might find you reach even higher.

Here
we provoke language.

Of course we write
for a picture's worth a thousand words.

METROFOBIA

Ao fondo da paisaxe, a chuvia
esvaece as nubes cun borrón.
Esta folla de ruta milita na xograresca.

Xa teño gana de partir e o meu coche é un soldado.
Non vas oíndo chifrar o seu cargamento sensible?
As estradas comarcais parecen
cadernos pautados.
Gustaríame sucar os montes cun poema ao lombo
                         coma os viaxantes.
O meu coche é unha bala prateada con
ritmo en vez de pólvora, e eu dígolle: "Vamos!".
Xuntos atravesamos vales, barrios de funcionarios,
as grandes explotacións eólicas
danme ganas de loitar contra os xigantes.
O meu coche mais eu entendémonos sen dicirnos nada.

Flores brancas do ibuprofeno,
o meu coche é un soldado
e eu dígolle: "Vamos recitar poemas
a Monforte de Lemos!",
e el
acompasa o seu motor ao meu rexistro,
repenica,
badalea
aínda que teña
metrofobia.

MAZÁS DO XARDÍN DE TOLSTOI

Eu,
que bordeei en automóbil as beiras do Neretva,
que rebañei en bicicleta as rúas húmidas de Copenhague.
Eu que medín cos meus brazos os buratos de Saraxevo,
que atravesei ao volante a fronteira de Eslovenia
e sobrevoei en avioneta a ría de Betanzos.
Eu que collín un ferry que arribase ás costas de Irlanda,

METROPHOBIA

Off in the distance the rain
stains the clouds.
This map is true for balladeers.

I can't wait to go and my car is a good soldier,
can you hear its sweet cargo whistle?
The old roads open up
like a ruled notebook,
how I'd love to score the mountains like a sales rep
my case full of poems

My car's a silver bullet burning with rhythm
instead of gunpowder and I shout *"Vamos!"*
Together we bear down on valleys,
civil servant suburbs and those huge windmills
urge me on to face the giants.
We get each other, my car and me
                    – no words needed.
White lilies of paracetemol,
my car's a soldier
and I say "Let's go read poems
in Monforte de Lemos!",
and his engine
hums along to my tune;
rattles
and sings
even though he's got
metrophobia.

APPLES FROM TOLSTOY'S GARDEN

I,
who steered my car by the shores of the Neretva,
who swept my bike through the damp streets of Copenhagen.
I who stretched my arms across the chasms of Sarajevo,
who at the wheel crossed the Slovenian border
and soared in a bi-plane over the Ria de Betanzos.
I who took a ferry that landed on the shores of Ireland,

e á illa de Ometepe no Lago Cocibolca;
eu que non esquecerei aquela tenda en Budapest,
nin os campos de algodón na provincia de Tesalia,
nin unha noite nun hotel aos 17 anos en Niza.
A miña memoria vai mollar os pés á praia de Jurmala en Letonia
e na sexta avenida séntese coma na casa.
Eu,
que houben morrer unha vez viaxando nun taxi en Lima,
que atravesei o amarelo dos campos brillantes de Pakruojis
e crucei aquela mesma rúa que Margarett Mitchell en Atlanta.
Os meus pasos pisaron as areas rosadas de Elafonisi,
cruzaron unha esquina en Brooklyn, a ponte Carlos, Lavalle.
Eu que atravesei deserto para ir ata Essaouira,
que me deslicei en tirolina dende os cumios do Mombacho,
que non esquecerei a noite que durmín na rúa en Amsterdam,
nin o Mosteiro de Ostrog, nin as pedras de Meteora.
Eu que pronunciei un nome no medio dunha praza en Gante
que unha vez suquei o Bósforo vestida de promesas,
que nunca volvín ser a mesma despois daquela tarde en Auschwitz.
Eu,
que conducín cara o leste até preto de Podgorica,
que percorrín en motoneve o glaciar de Vatnajökull,
eu que nunca me sentín tan soa coma na rue de Sant Denis,
que xamais probarei uvas coma as uvas de Corinto.
Eu, que un día recollín
                    mazás do xardín de Tolstoi,
quero volver a casa:
o recanto
que prefiro
da Coruña

xusto en ti.

LISTEN AND REPEAT: UN PAXARO, UNHA BARBA.

Todo o ceo está en crequenas. Unha sede intransitiva.

Falar nunha lingua allea
parécese a poñer roupa prestada.

and at the island of Ometepe in Lake Nicaragua;
I who will never forget that shop in Budapest,
or the cotton fields of Thessaly,
or the night when I was 17 in a hotel in Nice.
My memory paddles on Jurmala beach in Latvia
and feels right at home on Sixth Avenue.
I,
who once could have died in a taxi in Lima,
who walked the yellow fields of Pakruojis,
and crossed like Margaret Mitchell that street in Atlanta.
My feet trod the pink sands of Elafonisi,
turned a corner in Brooklyn, The Charles Bridge, Lavalle.
I crossed the desert to get to Essaouira,
took a zip-line down from the peaks of Mombacho,
I will never forget the night I slept on the streets of Amsterdam,
or the Ostrog Monastery, or the rocks of Meteora.
I who spoke a name in a square in Ghent,
who once ploughed through the Bosphorus clad in promises,
who will never be the same since that day in Auschwitz.
I,
who drove east as far as Podgorica
who steered a snowmobile across the Vatnajökull glacier,
and I never felt as alone as I did on Rue Saint-Denis,
I will never taste grapes like the grapes of Corinth.
I, who one day picked
                        apples from Tolstoy's garden
I want to go home:
to that hideaway
I love the most
in A Coruña

that's you.

LISTEN AND REPEAT: *UN PAXARO, UNHA BARBA*

The whole sky is hunched. An intransitive thirst.

Talking a foreign language
is like wearing borrowed clothes.

Helga confunde os significados de país e paisaxe.
(Que clase de persoa serías noutro idioma?).

Ti, fasme notar que, ás veces,
este meu instrumento de corda
vocal
desafina.

No patio de luces da linguaxe,
engánchame a prosodia
no vestido.

Contareiche algo sobre os meus problemas coa lingua:
hai cousas que non podo pronunciar.

Como cando te vexo sentado e só vexo
unha cadeira –
ceci n'est pas une chaise.
Unha cámara escura proxecta no hemisferio.

Pronunciar: se o poema é
un exorcismo, un cambio de agregación; algún humor
solidifica para abandonarnos.

Así é a fonación, a entalpía.

Pero tes toda a razón:
o meu vocalismo deixa
moito que desexar.

(Se deixo de mirar os teus dentes
non vou entender nada do que fales).

O ceo faise pequeno. Helga sorrí en cursiva.

E eu aprendo a diferenciar entre unha barba e un paxaro
máis alá de que levante o voo
se trato de collela
entre as mans.

Helga confuses the words for land and landscape
(who would you be in another language?)

You show me
my vocal chord
is at times
off key.

In the back garden of language
it's the prosody that snags
my dress.

I'll tell you something about the problems with language:
there are things I just can't wrap my mouth around.

Like when I see you sit and all I see
is a seat –
ceci n'est pas une chaise.
A camera obscura beams on the hemisphere.

Pronounce: if the poem is an exorcism,
a change of state, some humour
takes shape to escape from us.

That's phonation, enthalpy.

But yes, you are absolutely right:
my delivery leaves
much to be desired.

(If I'm not watching your teeth
I won't understand a word you say).

The sky shrinks. Helga smiles in italics.

And I learn the difference between a beard and a bird
– and not just what takes off
when I try to hold it
in my hands.

LESS IS MORE

Non me dixo
se che contase o repugnante que encontro a túa boca,
o charco das túas hormonas pringosas e clamantes.
Preferiría meter os dedos nun cable de alta voltaxe
que a miña cara na redondez irrespirable das túas tetas.
Non me dixo
así me caia enriba agora mesmo unha pía de lastras
antes ca a responsabilidade das túas noites de febre,
que corra o aire entre a miña vertical
e o pastel de xenxibre das túas ganas.
Prefiro alfinetes nas cuncas dos ollos
mellor ca a xelatina das túas debilidades.
Non me dixo *fuck off,* non me dixo *vete*
a la mierda.
Prefiro unha dor de ouvidos, un puño na boca do estómago.
Repúgname o fragor tan rural da túa fame,
escoitar berrar as túas coxas
coma bacoriños rosados abertos a machadas.

Simplemente
el non me dixo.

PASEI TANTAS VECES POR AQUÍ... E NUNCA VOS VIRA.

Estamos a facer un inventario minucioso,
coma o herbario dunha constelación impredicible.
Están primeiro os lirios, adobío de estrelas precipitadas,
as dalias e os crisantemos,
hai que contar as papoulas porque tamén o merecen as
        flores tímidas e miúdas.
A da figueira é unha flor subliminar.
As máis librescas de todas, as inflorescencias en capítulo.
A orquídea é claramente unha flor sicalíptica,
imítase de máis, non sigo por aí.
O hibisco enche de antollos e proverbios a tarde.
Hortensias: contádeme canto de feliz fun aquí.
Están os iris, a lavanda, a chamada rosa de té.
E logo está a magnolia que, como o seu nome indica,

LESS IS MORE

He didn't say
If I told you how repugnant your mouth is to me,
the puddle of your greasy, clamouring hormones.
I'd rather stick my fingers in the socket
than my face in the stifling capaciousness of your tits.
He didn't say
Sweet Jesus! For a landslide of rocks on my head right now
rather than the burden of your feverish nights,
give me breathing space between me
and the cloying sweet sponge cake of your needs.
I'd rather stick needles in my eyeballs
than suck the pulp of your decrepitude.
He didn't tell me to *fuck off*, he didn't tell me *vete*
a la mierda.
I'd rather an abscess in the ear, a fist in the pit of the stomach.
I can't stand the country clamour of your hunger,
listening to your thighs scream
like piglets waiting for the axe.

He simply
didn't say.

I'VE COME THIS WAY SO MANY TIMES BEFORE... AND I'VE NEVER SEEN YOU.

We are making a detailed inventory
like the herbarium of an unpredictable constellation.
First of all the lilies, flourish to the raining stars,
the dahlias and chrysanthemums,
and don't leave out the poppies, those shy, tiny flowers
            must also be counted.
The flower of the fig tree is subliminal.
The wallflower the most bookish of all.
The orchid is clearly a lascivious flower,
It's a little bit like the... no, I'll not go on.
Hibiscus fills the evening with wit and whimsy.
Hydrangea: tell me how happy I have been here.
There's the iris, lavender, the so-called tea rose.
And then the magnolia that, as its name surely suggests

en tempos debeu de dar emblema a algún tipo de soberanía mongol.
Calas, anémonas, o aguerrido síntoma do rododendro.
Despois están outros prodixios rexistrables en latitudes afastadas,
como a indicible flor do chilamate
que se sente pero non se ve, coma
ese fondo amor que sobe coma un bramido dende os xeonllos.
Hai
ambroíños de río, rosas chinesas, dentes de león.
Temos tamén cosmos e azar e pensamentos pero esas son xa
flores máis conceptuais.
A pasiflora é coma o trono dunha resposta, o
                                    baldaquino dunha consideración.
Hai flores que levan para sempre o nome do primeiro ollo que as viu.
Lilas, caléndulas, caraveliñas.
Non podo esquecer as mimosas, enxame de diminutas advertencias,
nin as miñas absolutas consentidas: fragor indecente das buganvíleas.

Pero, xa vos dicía, non sei, é curioso…
pasei tantas veces por aquí e
non,
non vos vira
nunca.

PAN DE CELEBRACIÓN. *(IT'S AN UNFAIR WORLD)*

O mundo é un hotel sen mostrador de recepción.
O don da elocuencia non é un ben comunitario.

Non se repartiron así nin os pans nin os peixes.
Por estribor a carne e por babor as espiñas.

Ides perder a cabeza e chóvenvos
sombreiros,
os ricos terán cartos os pobres terán fillos.

Eu sei dun pan que eu partiría en anacos
que fosen minúsculos e durase para os restos;

must once have been the emblem of some Mongol dominion.
The calla lily, anemones and the hardened note of the rhododendron.
And then the wonders from far off,
the unspeakable flower of the chilamate
that you feel but never see,
like the deep love that rises throbbing from your knees.
And then
the white lily, the old blush rose and dandelions.
We have cosmos and sage and impatiens but these are
more conceptual flowers.
The passionflower is the throne of an answer,
                              the baldachin of deliberation.
There are flowers that hold the name of the first eye that ever saw them.
Lilacs, calendula, marigold.
I can't forget the mimosas, the swarm of tiny warnings,
or the one I idolize the most: the bougainvillea's outrageous clamour.

But, as I've said,
it's odd, I know…
I've come this way
so many times before and…
no,
I've never seen you
ever.

BREAD OF CELEBRATION *(IT'S AN UNFAIR WORLD)*.

The world is a hotel with no reception desk.
The gift of eloquence no common good.

That's not how the loaves and fishes were shared.
Over portside the bones the meat over starboard.

You'll lose your head and it's raining hats,
money for the rich, more kids for the poor.

I know of bread I'd shred into pieces,
morsels that could do for later;

se unha faragulla pode ocuparlle a boca a alguén,
se pode saciar, se talvez destrabala.

Coma botes salvavidas na gloria do Titanic,
soutos de peites para quen está
calvo.

Urbi et orbi da retórica: nin está nin se espera.
Calcétanse barbas para quen non ten queixelo.

Tocáronlles a algunhas bocas tres segundos de memoria.
E Deus ha dar ese pan
a alguén con ben menos dentes.

A POESÍA É UNHA LINGUA MINORIZADA

Comezaría polo espesor. A súa acidez, o seu pH.

Camiña igual ca unha muller:
entre o masacre do invisible
e o campo de concentración da visibilidade.

Ladra estilo e final,
unha épica hospitalaria.

No poema a linguaxe
faise ouvidos xordos a si mesma,
nel as palabras amplían
o seu círculo de amizades.

Hai que masturbar o abecedario
ata que balbuza cousas
aparentemente inconexas.

Caixa de cambios da fala,
acenos doutra orde.
O sorriso do mosquito dentro da pedra de ámbar.

if only a crumb could fill you up,
could satisfy, could open your mouth.

Like lifeboats on the majestic Titanic,
a thicket of combs for the man
with no hair.

The *urbi et orbi* of rhetoric: 'neither is he here
                        nor are we expecting him'
Beards are knit here and you're a chinless wonder.

Some mouths were handed out a three-second memory.
And God will give this bread
to someone with fewer teeth.

POETRY IS A MINORITIZED LANGUAGE

I would start with its breadth. Acidity, pH.

It walks like a woman:
between the massacre of the unseen
and the concentration camp of visibility.

It bellows style and polish,
a neighbourly epic.

In the poem, language
falls on its own deaf ears,
the words amplify
their circle of friends.

You need to frig the alphabet
till it spouts
unlikely links.

The changing gears of chatter,
the tell of another order.
The mosquito's smile in the amber.

Non se trata de que non comprendas árabe.
Non entendes

poesía.

RECICLAXE

E o azougue gastado no espello do toucador.

Dende a man que procura o pálpito
aproveito folios xa usados;
a tinta negra da outra cara advírtese por tras
e penso
que tamén se escribe así,
anotando palabras novas mentres outras
anteriores
se transparentan.

COUSAS QUE COMEZAN POR Y

Esa nostalxia, as violetas,
unha sinatura tan allea ás nosas linguas,
estar de viaxe, Armenia, signos estranxeiros,
a capa carnosa que cobre a miña sensación.
Un país que non existe, a terra rara septuaxésima,
en vastas extensións o mínimo elemento para a cópula.
Todo o varón que hai en min,
ás veces ti, e eu outras,
non teño ningunha palabra de nove letras.
Vítima e verdugo abrazados nunha soa lingua,
horizontes aos que nos guindar: ao mar, a Portugal, a España.
O sendeiro impracticable do tao, gaiolas aladas nos setenta,
o vermello das pantallas, algúns metais prateados.
O punto da túa vida no que non sabes que decisión tomar,
tres liñas iguais, soñando un pacto,
a memoria escura da nación terrible.
A violación do meu nome, o último que che escribo.
A xuventude, corréndonos entre os dedos en distintas direccións.

It's not that you don't get Arabic.
You don't get

poetry.

RECYCLING

And the quicksilver gone from the mirror

From the hand feeling for the trace
I make the best of jaded pages;
the black ink from the flip side shows
and I think
this could also be writing;
scribbling new words while other
earlier words
seep through the page.

THINGS THAT BEGIN WITH Y

That nostalgia, violets,
a signature so far from our tongue,
on tour, Armenia, foreign signs,
the plump covering of my sensation.
A non-existent land, the seventieth rare earth,
vast expanses and the merest chance at coupling.
All the man in me,
at times you, and I others,
I have no nine-letter word.
Victim and executioner embraced by the same tongue,
horizons we launch ourselves at: the sea, Portugal, Spain.
The unworkable Tao, cages taken wing in the seventies,
the red on the screens, chrome metallic.
That point in your life when you don't know what's next,
a fork in the road dreaming a covenant,
the black memory of that tragic nation.
The violation of my name, the last thing I write to you.
Youth running between our fingers in different directions.

Cando abrimos a porta do cuarto de baño da poesía
atopamos o pai convertido nunha rocha.
A mera ocorrencia de que poida ser un xugo ese sur,
yo-lan-da-cas-ta-ño repetido ata que non significa   nada.
Segundo algúns códigos, o meu número inevitable,
a simultánea prole dunha illa que implora,
o tormento do modisto, os cascallos do medievo.
O respectado capricho dos nacionais patriarcas,
os desvelos do illamento nunha aldea de Suecia,
o bendito sabor das uvas de Corinto,
mercé dos teus labios nunha hora futura
e, entre as pernas, o meu sexo
que tamén comeza
por Y.

LOGOPEDIA

Deixa que che ferva un té que nos recorde a quen amamos.
Algún pequeno lugar nun recanto da túa mandíbula
ten que poder conseguir ata esencia de bergamota.

Pero de toda a vida nos matan
os problemas de dicción
(ese seu ese que prende
nas miñas ganas de sorberllo).
E ti es tan palatal, tan liminar…
agachando un simulacro debaixo das moas do xuízo.

Nunca habería medrar o deus da fonoloxía
se o significado non espallase
o seu esperma sobre os ouveos.

As miñas cordas vocais vólvense sogas
para esta calamidade que non encontra maneira.
O gue vai tirar entón da campaíña da miña glote
coma un tren desbocado que quixésemos frear.
E o teu nome
pégaseme ao padal,
como que o comungo.

When we open the bathroom door of poetry
we find the father become a rock.
The mere chance that South could be a yoke
yo-lan-da-cas-ta-ño repeated till it means   nothing.
According to some ciphers, my inevitable number,
the in-sync brood of a craven island.
The dressmaker's torment, the sweepings of the Middle Ages.
The esteemed whimsy of the national patriarchs,
the trial of confinement in a Swedish hamlet,
the blessed taste of the grapes of Corinth,
the mercy of your lips down the road
and, between my legs, my sex
that also begins with
Y.

LOGOPEDIA

Let the tea draw till it recalls who we love.
Some fold in a corner of your mouth
must hold the essence of bergamot.

We're forever being done in
tripping over our tongues
(that 's' of his that feeds
my need to sop him up).
And you're so palatal, so on the edge…
a likeness buried under your wisdom teeth.

The god of phonology would never have grown
had the meaning not sprayed its sperm
over the howls.

My vocal cords are become straps
for this endless wreckage.
The 'g' will ring the little bell of my glottis
like a runaway train we hoped would stop.
And your name
cleaved to my palate,
like communion.

Non é doado pronunciar earl grey.
Bonjour monsieur, quero un earl grey.

Pero o que quero eu

si que é impronunciable.

THE WINNER TAKES ALL, A MUSA NON LEVA UN PESO

Cando o ceo cobre a capota e a noite suborna o día
saen do escuro as estrelas con zapatiños de vicetiple.

Todo o que queda na punta da lingua
molla a saliva coa que digo este verso.
Tubérculo, iceberg, un corpo estraño na ostra,
as súas feces estruman todas as miñas fragas.

Todo canto poida dicirche
diríacho só na lingua que non entendas.

Un corpo cavernoso enche os seus motores,
dosifica o seu canto en estilo indirecto.

A miña lingua amadriña o rubor destes poemas
só para que nunca podas lelos ti.

A miña lingua fisterra, un toxo raspando a gorxa,
o máis correúdo dos oito tentáculos fervendo.
Unha tarxeta de memoria na que non colle un alfinete,
o figo meloso que se come só por que non podreza.
A miña lingua é unha coroza no medio de Manhattan,
un soportal de pedra por alí non pasa ningún río,
unha kipá que escurece e medra e medra sobre as cabezas,
o dedo dunha deus negra sinalándonos dende o alto.
A miña lingua é o herexe emulado por un mártir,
o lugar do teu corpo ao que lle tés
medo.

It's not easy to say *earl grey*
Bonjour monsieur, I would like an earl grey.

But what I'm after

now that just can't be said.

THE WINNER TAKES ALL, THE MUSE GOES HOME BROKE

When the sky shuts the hood and the night bribes the day
out from the darkness step the stars with chorus girl taps.

Everything that's left on the tip of my tongue
moistens the saliva that speaks this verse.
Tuber, iceberg, the odd body in the oyster,
their excrement spread through my woods.

And everything I could say to you
I'd say in a tongue you'd never understand.

A cavernous body revs its engines and throttles
the song down in second-hand speech.

My tongue cossets the blush in these poems
just so they can never be read by you.

My Land's End tongue gorse-grating the throat,
the leatheriest of eight bubbling tentacles.
A memory card that's up to the hilt
the honeyed fig you eat just so it doesn't rot.
My tongue's a mummer's suit in Midtown Manhattan,
a stone colonnade with no river passing,
a darkening kippa that grows and grows on their heads,
a black goddess's finger pointing from above.
My tongue is the heretic emulated by the martyr,
that spot on your body you
fear.

Pequena deslinguada en diferido, fun gardar a man e agora
redobro a aposta,
mira este ás con ás, onde poño a boca poño a bala.
As palabras convulsas,
estas palabras remotas,
as que nunca haberás ler,
orbitais porque son miñas, miña esta
cousa, miña, como miña esta lingua.
Miña.

A bit down and dirty on playback, I was about to pull back
but now
I'm going all in
check out that flying ace, there I go shooting off again,
those meteoric words,
those distant words
you're never going to read,
they're orbital because they're mine, this here
is mine, mine, like this my tongue.
Mine.

ESTEVO CREUS

PHOTO: AUTHOR'S ARCHIVE

ESTEVO CREUS (Cee, 1971) was a founding member of the poetry publishing house Letras de Cal and of the theatre group Talía. As a poet, he has published seven collections including *Poemas da cidade oculta* (Poems from the Hidden City, 1996), *Areados* (Sandiness, 1996), *Teoría do Lugar* (A Theory of Place, 1999), and his latest *Balea2* (Whale2, 2011). His work has appeared in numerous anthologies, such as *Veinte puntos de fuga* (Twenty Vanishing Points, 2011). Creus has participated in theatre, dance and performance productions.

TEORÍA DO LUGAR (fragmentos)

Construír a teoría do lugar:
meterse dentro.

A primeira lembranza é a miña boca soterrada na area e centos
de plumas esparexidas polos brazos.
Desfeitas.

Despois, o ruído
a chatarra inmóbil no centro das dunas
e o ruído
así de inmóbil
coma un animal de aire
pero acuático

o ruído

un vexetal pintado
con anaquiños de xiz.

   ...

Por riba dos telados
o ceo aseméllase a un animal de chatarra.

Quero falarvos do mundo
do territorio perdido
contra as nubes.

Sei que son
un animal que se mira.

Teño unha bala
metida na cabeza.

   ...

E a praia é enorme
coma un deserto de area
e no centro
a chatarra.

A THEORY OF PLACE (excerpts)

To build a theory of place:
go deep.

My first memory is my mouth buried in the sand and a hundred
    feathers scattered
around my arms.
Undone.

Then the noise
in the middle of the dunes the scrap stalled
and the noise
just like that, stalled
an animal taking flight
but aquatic

the noise

a tainted vegetable
with flecks of chalk.

    …

Above the roofs the sky
apes a scrap animal.

Let me tell you about the world
of the land lost here
around the clouds.

I know I'm an animal
watching himself

I have a bullet
stuck in my head.

    …

And the beach is huge
like a sandy desert
in the middle
scrap.

Eu camiño de vagar seguindo as marcas das plumas
das gueivotas.

Levo un cormorán prendido da camisa
e a arquitectura dun arao silencioso

pero non hai tenrura

Das miñas mans saco nubes perfumadas
e adéntrome no mar
dou
de beber
aos aeroplanos.

    ...

o sol no alto
unha pelota de goma
o meu corpo debuxado
con quilómetros de xiz
detrás
a chatarra
a pista onde morren os avións
unha caixa
para encher de plumas

    ...

así
a desolación
percorre a miña pel
estendida sobre a area
penetra nos poros máis abertos
aseméllase

a un mapa de chuvias.

    ...

Eu son o cazador

e desde hai tempo persigo unha idea dolorosa. Non o sei, quizais

I scratch along the path
of seagull feathers.

A cormorant pinned to my shirt
and the makings of a silent guillemot

but there's no tenderness.

From my hands perfumed clouds
and the sea in me
I dole out
drink
to the airplanes.

    ...

the sun high
a rubber ball
my body drawn
with miles of chalk
then
scrap
the runway for planes to die
a box
to fill with feathers

    ...

and so
the desolation
scuttles across my skin
that is stretched on the sand
dripping through open pores
something like

a map of rainfall.

    ...

It's me the hunter

for some time now I've been chasing a dire notion. Who knows,

precise darlle a forma mutilada do meu corpo; unha pegada de
min sobre unha rocha calcárea.

Tres aviadores fitan dende o alto as couvidades das miñas mans
o ruído
a pintura azulada dos meus ollos
mesturándose coa escuma salgada da marea
e o ruído
o ruído anega os ollos
o ruído
os corpos cando caen
fan ruído.

    ...

Pinto a miña cara
con círculos nerviosos.

Son
coma un home epiléptico
sen boca

un neno pequeno
con demasiadas
dioptrías.

    ...

E hoxe esperei a que ardese a terra
busquei a postura idónea para adentrarme no bosco
e con cal
ir gravando a distancia entre as pisadas
agora estou no centro
ollando a lentitude
dos meus pasos
precipitarse contra as rochas
son
como unha parte no bosco
ou como un animal enfermo
o signo
dunha locomoción
arrasada.

    ...

I might just need to shape it to this mangled body of mine; a
footprint of mine in the limestone.

Three sky pilots from above cop the palmcup of my hands
the noise
the blue tint of my eyes
running with the spindrift of the tide
and the noise
the noise drowns my eyes
the noise
when the bodies fall
they make noise.

    …

I circle my face
nervous painterly.

I'm like
a mouthless
epileptic man

a small child
with too many
diopters.

    …

And today I waited till the land burned
I was after the right shape to slip into the woods
and with whitewash head off
measuring the distance of footsteps
now I'm in the middle
staring at my lethargic
steps flung
at the rocks
I am
part of the woods
or a sick animal
the sign
of ravaged
movement.

    …

Cravar unha estaca no medio da marea
e afastarse tres metros.
Os meus pés están lixados de sangue
dende aquí
o mundo
é un océano
detido.

AREADOS (fragmentos)

Eu recordo a miña cara espreitando un lugar de tigres
no teu corpo
buscando na epiderme o buraco máis profundo
a dor máis grande
o lugar exacto por onde cae o sol
Coma un neno gordo cheo de tics nerviosos

Diminuto.

    ...

Es
coma un buraco pequeno
unha taza de café e todos os gramos de opio
que me quedan
un aloumiño de ti que sabe a terra
un roce perigoso
polo fondo.

    ...

Estamos aquí
de costas á lúa
con toda a pel mollada
e os brazos ateigados de febre
(o amor é para nós
un cruce de dores e vacíos)
pola fiestra entran os morcegos
e as outras gaivotas xa se foron
hai

Nail a post at half tide
then step ten feet off.
My feet are smudged with blood
from here
the world
is an ocean
halted.

SANDINESS (excerpts)

I remember my face spying where the tigers
were in your body
hunting for the deepest pit in the epidermis
the biggest gripe
the exact place where the sun goes down
Like a fat child full of nervous tics

Miniscule.

 ...

You're like
a small breach
a cup of coffee and the fat grammes of opium
I've left
your caress tastes of earth
a dangerous touch
at the bottom.

 ...

Here we are
moonbacked
skinwet
our arms a frenzy
(for us love
is a mix of pain desertions)
bats fly in the window
the other gulls have already gone
at least

alomenos
tres minutos

coa pel mollada
a cara triste
somos un lugar
un lugar de cetáceos.

        ...

Somos como un lugar de cetáceos
e tres días á semana vomitamos o amor
de boca a boca
logo abrimos os armarios
onde están os pinceis
as fotografías
e as cintas de vídeo
coas nosas posturas máis íntimas.
Ti nunca levas bragas
e sempre fas o mesmo cadro
azul
azul cobalto
eu quedo a mirarte lentamente
non sei
como se algo de todo isto
me recordara a ti...

        ...

Agora estás aí
no alto
completamente espida
e eu durmo docemente
sobre as baldosas frías
espero que floreza
estou seguro

E ti aí
con eses ollos azuis tan apagados
albiscando unha marea de mortes
coas pernas abertas na dirección do mar
e cunha flor prendida por dentro dos labios.

three minutes ago

skinwet
sadface
we are a place
a cetaceous place.

    ...

We're like a cetaceous place
three days a week we puke
love mouth to mouth
then we open the wardrobe
where we store the brushes
the photographs
and the videotapes
with our most intimate shapes.
You never wear knickers
and always throw the same paint
blue
cobalt blue
I slowly watch
I don't know how
something the like of this
reminded me of you...

    ...

Now look at you
on high
stark naked
and I
sweetly sleeping
on the cold tiles
I wish you bloom
certainly.

and there you go
with your folded blue eyes
the distant death tide in your eyes
your seaward legs akimbo
and a flower between your lips.

estás tan guapa
que me dá vergonza vivir
contigo

faría todo o posible

POEMAS DE CIDADE OCULTA (fragmentos)

A min e non a ti
mordeume de neno unha balea
e no espiral de A.D.N.
mesturóuseme a dolor con tres pasos e tres golpes:
as chemineas enchéronse dos bechos máis pequenos
a cola do alacrán habitoume polos brazos
e a memoria
a memoria

a memoria é un animal
con solitaria.

   …

Pero alén o relembro
inunda cada ensanche
atrápanos coas redes da palabra
mergúllanos os ollos con ruínas
avanta cos liques da memoria
e non nos deixa durmir
do lado esquerdo.

   …

Eu percorrín a cidade
cos pulmóns atados cara a última hora
cando a muller famenta se enche do aire dos homes
e o alcol nos di
como nos fomos perdendo.
Eu perdín a cidade
á hora en punto dos trens das sete e media
cando todos regresan e ninguén coñece a súa saliva

You're so fucking beautiful
I'm abashed to live
with you

I would do everything possible

POEMS FROM THE HIDDEN CITY (excerpts)

It was me not you
that was bitten as a child by a whale
and in the double helix DNA
the pain braided with three steps and three slaps:
the chimneys filled with the meanest grubs
the scorpion's tail had me latched
and the memory
the memory

memory is an animal
with tapeworm.

    ...

And beyond the revivals
the suburbs are swamped
we're snared in the word web
our eyes deep dropped in ruins
and on it creeps the moss memory
that doesn't let us sleep
on the left.

    ...

I scoured the city
my lungs in a knot heading into the final hour
when woman hungers she fills with men's air
and the alcohol tells us
how we've been wasting away
I lost the city
just when the half seven trains
bring everyone home who doesn't know their own spit

cando o vento avisa do sangue esquecido en tantos meses
e ninguén pode tocarse
coa punta dos seus labios.
Eu perdín a punta dos meus labios
a orixe do meu corpo e a farmacia
co falo desfeito á hora de todos
cando se copula o deserto
da miña boca.
Eu perdín pola boca o meu deserto
á hora en punto do abrazo e da fábrica
cando se pagan as nubes e se recollen as árbores
cando todos dormen na casa
de enfronte.
Eu perdinme
á hora en punto do latexo
co paxaro morto xusto antes
do átomo e as sobras
cos petos ateigados do seme das tabernas
coa cidade oculta e coa muller aberta.
E ninguén dubidou en presentarme a noite
cando as miñas mans entraron no núcleo do teu lombo
e voamos xuntos
coa cidade ás costas e cos poros cheos
cara á hora en punto das baleas
cando o mar descansa.

     ...

Explícame sen ferirme o tránsito do deserto
cantos son os nenos que morreron nos portais
deixándose os labios baleiros de memoria
cantos son os animais que nos quedan
e quen nos roubou o abecedario dos ollos.
Cántame outra vez a canción da balea
mentres absorbes o rastro do meu nome
mentres me enches o lombo de cristais
e o corazón se constrúe
contra o latexo oposto.
Dime se se pode medir
a distancia que separa a túa boca do meu ventre
o cemiterio de peixes onde habitan as algas
o lugar exacto dos corpos onde nos matamos

as the wind blows the dried blood of months
and no one can touch
with the tip of their lips.
I lost the tip of my lips
the origin of my body and pharmacy
a phallus broken at rush hour
when the sands of my mouth
dance about
I lost the desert out of my mouth
at the clocking-in hour when it's ripe to hug
when the clouds are paid the trees are home
when all are fast asleep in the house
in front.
I got lost
right on the beat
of the dead bird right
before the atoms and scraps
pockets full of pub scum
in the hidden city with the open woman.
And they couldn't wait to show me the night
as my hands slipped into the heart of your loins
and off we flew together
far from the city our pores opened
facing into the hour of whales
when the sea rests.

    ...

Tell me softly about the shifts of the sands
how many children died at the gates
leaving their lips scarce of memory
how many animals truly remain
and who stole the alphabet from out of our eyes.
Sing me again the song of the whale
as you drink in the trace of my name
as you fill up my loins with glass
and my heart is built
by the opposite beat.
Tell me is it possible to measure
the distance from your mouth to my gut
the graveyard of fish where the seaweed lives
right by the bodies where we kill ourselves

cada vez máis xuntos.
Arríscame os brazos, as medusas
ó xogo da pedra
dóeme a hora en punto en que nacemos
e se me quedan ondas quizais entre as dúas pernas.
Atravésame unha e outra vez o camiño da néboa
o código de luces dos faros
cando o palangre ole ós restos da suor
e os homes traen o que lles deixa a fame.
Acálame a voz
da cidade e dos adornos
os parques visitados con anaquiños de miga
onde os cisnes dormen
para non voar máis lonxe.
Atravésame unha e outra vez polas entrañas da carne
falándome os teus ollos dos deuses e das algas
de cantos son os que ficaron apreixados nas dunas
e se me quedan forzas
para regresar ás veces.

Tócame o teu núcleo da porta para dentro
nas xanelas de enfronte apenas nos recordan
e podemos xuntos mastigar sen présas
o aire irrespirable do bordel.
Sobre o leito
o vento se divide
e ti me pasas a dolor
das árbores das rochas e da casa
descifras a marea nun vaso de vodka...

Hoxe non viches como amencía.
Foi bonito.
Hoxe non viches como amencía
e foi bonito.

DECRÚA (fragmentos)

Busco aquela pel que non recordo
e sacho as patacas
na parte do corpo con máis medo.

together and together and together.
Chance these arms, these jellyfish
playing the game of stone
the pain the moment we're born
and there's still waves likely between these legs.
Forth and back across the gloomy path
the lighthouse code of lamps
when the longline reeks of sweat
and the men take home what hunger permits.
Quiet the voice
of the city and its ornament
the visited parks with shrapnel crumbs
when the swans sleep
so as not to fly farther.
Pierce me again and again in the guts
talk to me with your eyes of gods and seaweed
of all those who stayed clung to the dunes
and if I've strength left
I'll return on occasion.

Let your nucleus touch me through the door
in the windows in front they hardly remember us
and together we can slowly chew
on the unbreathable brothel air.
Over the bed
the wind splits
and you hand me on the pain
of trees of rocks and the house
you read the tide in a glass of vodka...

Today you didn't see how it dawned.
It was lovely.
Today you didn't see how it dawned
and it was lovely.

CLEARINGS (excerpts)

I'm digging for the skin I can't get in
and hoe the spuds
in the most fearful body parts.

Intúo que houbo un tempo
de fígado e cordura
no que as miñas mans
esculpían todas as palabras
e a miña boca era un software
sen ideas suicidas.
Pescudo a miña cara entre as paredes
mato moscas.

    ...

Paseo por min coma un funambulista de arame
así
coa cara desolada
sen plumas.

    ...

Espreito a miña horta baleira
e fago do meu corpo unha decrúa
semento pegadas dixitais no medio das ortigas
escribo sobre o chan
palabras para morse.

    ...

Son
así
un residente sen rostro
e pinto na caluga unha diana.
Vou trazando os círculos no corpo
e as colores.
Semento a miña pel de frechas
e de humus.

Somos como do outro lado
Sentímonos coma cabalos mortos
na pista do circo

I dig there was once a time of
liver and sanity
when my hands
sculpted all the words
and my gob was software
sans suicidal thoughts.
I scan my face between the walls
I slay flies.

...

I prance through me like a high wire act
just so
bare faced
and featherless.

...

I spy my empty allotment
and turn over my old body
sow digital prints among the nettles
I prick on the earth
words in Morse.

...

I am
just so
a faceless resident
bull's eye back of my neck.
I trace circles on my body
and colours.
I sow my skin with arrows
and humus.

We're like the other side
we feel like dead horses
in the circus

Do mesmo xeito
Igual

Igual
que segadoras.

O LIBRO DOS CANS (fragmentos)

Eu teño esperado días enteiros
a chegada dos cans
e lentamente
moi lentamente
pintar a miña casa
co ruído dos barcos.

    I

No teito
pranto unha ringleira de cactos.
Espero, sen máis, a lentitude.
Un xogo
de álxebra e de plantas

    II

Construo un trampolín e pinto unha frecha na fachada.
Seguro que chegarán os cans. Estou seguro.
Despois de todo
a casa é un lugar de frechas e caídas;
unha piscina para as palabras confusas.

    III

Mirar unha e outra vez a mesma imaxe.
Construír unha máquina para deter a cabeza.

Pegar flores.
Pensar na súa traxectoria.

Just the same
equal

Equal
to lawnmowers.

THE BOOK OF DOGS (excerpts)

I have waited whole days
the arrival of dogs
and slowly
very, very slowly
have painted the house
the noise of boats.

I

On the roof
I have planted a row of cacti.
I wait, nothing more, slump.
A game
of plants and mathematics

II

I make a trampoline and paint an arrow on the front.
The dogs will surely come. I am sure.
After all
a house is a home of arrows and drops;
a pool for confusing words.

III

Look over and again at the same image.
Make a machine to stop the head.

Paste flowers.
Think of where they go.

IV

Porque todo reside
na ciencia da mecánica dos saltos.
En tornar o invariable en variable
e apurar a chegada.

Apurar os meus zapatos brancos
correrse
mirar pornografía
e correrse

Adiantarse ao lugar
cazando saltos.

IV

Because it all lies
in the science of the jump.
In making the invariable variable
and hastening the arrival.

Worry my white shoes
cum
watch porn
and cum

Get ahead
probing jumps.

MARÍA DO CEBREIRO

PHOTO: JUAN SALGADO

MARÍA DO CEBREIRO (Santiago de Compostela, 1976) is a writer and Senior Lecturer of Literary Theory and Comparative Literature at the University of Santiago de Compostela. As a poet, she has published ten books, from her first *O estadio do espello* (The Mirror Stage, 1998) to her latest *O deserto* (The Desert, 2015) which has won her the Critics' National Prize. Her poems have appeared in numerous anthologies, such as *Anthology of Galician Literature 1981-2011* (2012) and *Punto de ebullición* (Boiling Point, 2015). She has published poems in various international journals, such as *Poetry Review*, and has a page in the Fishouse digital archive of emerging poets.

As a literature scholar, María do Cebreiro has coordinated a research project on the narrative work of Rosalía de Castro and has published a number of books on this Galician writer, as well as on literary theory and poetry anthologies.

NOTA SOBRE A ESCULTURA

Vin o filme deitada e non era consciente de estar entrando no noso propio filme
que era feito de pel e mais de luz, como antes das partículas de vidro
que estalaron no medio do verán e fixeron de súpeto visibles os vértices
que nunca antes vira do seu corpo. "A verdade é unha nai sen fillos,
un río en crecente". Os amantes levaban mortos a eternidade toda, pero
eu cría estar vendo unha cousa e vía outra. Cría estar perdida no medio
dun camiño e estaba perdida dentro doutro. E de súpeto os corpos xa non
eran de
amantes. Dúas cartas procuraron o misterio e a primeira[1] era filla da segunda.[2]
A calcinación é o único que queda. É o contrario das placas. Non se ergue.
É unha fronteira lenta, como o frío nos dedos. Como se o lume carecese de lingua
e non de mans, e as mans fosen de tempo. Mirei as xeometrías e os cortes
que deixan os días sobre a carne e a pedra saíu ao mundo como unha segunda pel.
Toquei a súa carne e os seus límites como se me prendese a algo, como se alguén
fose capaz de apañar algo da miña natureza difusa e puidese condensalo.

[1] Fragmento da primeira carta: "Unha nena observa na praia a torre
de area que ergueu co seu caldeiro. A onda pasa e acháiao, retírase
e acháiao máis, así varias veces ata que a torre queda convertida
nun pequeno outeiro suave e húmido sobre a praia. A imaxe sería
aínda máis intensa se estivese no submundo. Sería magma e non
auga o que pasase sobre a súa construción, e operaría un efecto
diferente. (...) Pero faremos ben en pensar dúas cousas: a primeira,
que ao contrario do mar o magma solidifica o que está destinado a
permanecer en nós; a segunda, que non terá piedade (non a coñece)
calcinando aquilo que non dea resistido a súa aperta abrasiva. Creo
que é ese o proceso que percibes, e alégrame a consciencia e a calma
coa que o fas. Podemos ser insubmisos a todo agás a nós mesmos.
(...) Non teñas présa. Despois virán outras experiencias, pero esta en
concreto desde logo que te conformará".

[2] Fragmento da segunda carta: "Fixéchesme lembrar ese momento
do filme *Viaggio in Italia* no que a parella contempla o molde da outra
parella que quedara inmobilizada para sempre cando a lava do Ve-
subio os sepultou en Pompeia. Mellor dito, o que lembrei foi algo
moi curioso que lera sobre o filme. Era algo así como que no filme
todo o mundo os 've' abrazados, pero en realidade eles non están
abrazados, e nin sequera se pode saber se estaban xuntos, se eran
home e muller, ou pai e filla, ou irmáns. Pero cando os vemos alí,
fosilizados logo do volcán, restituímos o vínculo onde non o hai,
como se sentísemos que é imposible que nas experiencias límite non
haxa unha man que nos colla ou un brazo que nos sosteña. E non o
hai, claro. Ou se cadra si que o hai (...)".

A NOTE ON SCULPTURE

I watched the film slumped unaware of watching our own film
that was also made of skin and light, like before when the glass particles
that shattered in midsummer suddenly revealed all the vertices of his body
that I had never seen before. "Truth is a mother without children,
a river rising." The lovers have been dead an eternity, but I thought
I was seeing one thing when I was seeing another, lost halfway along
one path when really I was lost on another. Suddenly the bodies were
   no longer
lovers. Two letters solved the mystery; the first[1] the daughter of the second.[2]
Calcination is all that remains. Unlike the plates. It doesn't rise.
It is a numb frontier, like cold fingers. As if the fire lacked a tongue
but not hands, the hands kept time. I watched the geometries and cuts left
on the flesh by the days as the stone rose to the world like a second skin.
I touched flesh and its borders as if fastening myself to something, as if
someone was capable of capturing something of my diffuse nature and
   condensing it.

[1] Fragment of the first letter: "A little girl on the beach watches a tower of sand that she had raised up with her bucket. The wave comes up and flattens it, withdraws and flattens it again, and so on until the tower is softened to a small, wet clump on the beach. The image would be even more intense if it was the underworld. It would be magma and not water washing over her construction, and it would have a different effect. (...) We do well to consider two things: first, unlike the sea, magma sets what is destined to stay with us; and second, it will not pity, (it knows no pity), searing that which does not resist its caustic embrace. I believe this is the process you perceive, and I am cheered at the knowledge and calm with which you do so. We can defy everything but ourselves. (...) Do not rush. There will be other experiences, but you will clearly be marked by this one."

[2] Fragment of the second letter: "You have reminded me of that moment in the film *Journey to Italy* when the couple contemplate the cast of another couple that have been bound forever since the lava of Vesuvius buried them in Pompeii. Rather, what I remembered was something really odd I had read about the film. It was something like, although everyone in the film 'sees' them embracing, in truth they are not embracing, and you cannot know if they are together, if they were husband and wife, or father and daughter or siblings. But when we see them there, petrified by the volcano, we restore a link where there is none, as if we felt that in extreme situations there will be a hand to hold us, or an arm around us. And of course, there is none. Or perhaps there is (...)".

Como se me pechasen nun frasco de cristal e me desen ao vento porque o mar
sería sólido de máis para sosterme. O escultor coñece todo o que no mundo hai
de dureza. É iso o que volve firmes as súas mans. Regálallas ao aire
e os paxaros que pasan saen da fiestra. Con suavidade fan o seu niño
entre a palla. A súa calor esmaga cada pao até que se disolve a xeometría.
A casa dos paxaros non é a pedra, pero a pedra é o lugar no que descansan.

ISMAËL ET AGAR DANS LE DÉSERT (UN CADRO DE FRANÇOIS-JOSEPH NAVEZ)

Onde estabas ti cando eu fundaba a terra (…)
cando as estrelas da alba cantaban a coro?
Libro de Xob 38: 4-7

Repara nos dentes do río, na súa mordedura de auga calma. Repara no
    tacto do río
entre os dentes da pedra, que necesita máis dun cento de anos para se
    conmover.
A culpa non é da súa mocidade. É que onda o corpo del, ela é a pedra.
O ceo baixa negro e eu comprendo que teño dúas pernas pero só un corazón.
Que teño dous pulmóns pero un só corpo. Que a vibración do sangue é
    circular
e alterna. Comprendo que o deserto ten a extensión exacta para verte,
que o tamaño do mundo foi alterado de xeito substancial cando naciches
e que nin se expandiu nin se encolleu. Que fuches, coma os santos,
    concibido
pero non enxendrado. Que coma eles podes oír voces pero non a túa voz.
Agar era unha escrava no medio deserto. Ismael é o profeta dos feridos,
a voz dos animais, o pé dos coxos. Ismael é o misterio da chuvia antes da nube,
o esqueleto dos barcos, a parte azul da chama. Ismael planta estrelas nos
    campos de cereal.
Sementa millo e medo en cada páxina. Deixa as flores vermellas
entre o limo do lago. Deixa a cinza na boca, a herba fresca no ventre.
Nas mans, auga salgada. O deserto ama os fillos ilexítimos. A súa lei é a
    loucura e a calor.[3]

---

[3] "A morte é o único que nos instrúe, pero só cando aparece. Cando
falta é esquecida por completo. Os que poden vivir coa morte poden
vivir na verdade, só que esa experiencia é case intolerable. (…) A morte
é a gran destrutora de todas as imaxes e de todos os contos, e os seres
humanos nunca poderán representala por completo. O seu último re-
curso consiste en apoiarse na dor, en tratar de enganar a morte a cam-
bio da dor. E o sufrimento alimenta as imaxes. Alimenta as imaxes
máis fermosas".

As if they locked me in a glass flask and tossed me to the wind because the sea was too solid to have me. The sculptor knows everything in the world about density. That is why his hands are firm. He delights the air and the birds fly through the window. They gently nest in the straw. Their heat softens every twig and dissolves its geometry. The birds' house is not made of stone, but stone is where they rest.

ISMAËL ET AGAR DANS LE DÉSERT (A PAINTING BY FRANÇOIS-JOSEPH NAVEZ)

Where were you when I laid the earth's foundation (…)
while the morning stars sang together?
BOOK OF JOB 38: 4-7

He watches the river's teeth, the calm water's bite. He watches the river's touch
between the stone teeth that need more than a hundred years to be moved.
His youth is not to blame. Close by his body, it's her that is stone.
A darkening sky and I see I have two legs but only one heart.
That I have two lungs but only one body. The blood's oscillation is circular
and alternate. I understand the desert is the perfect reach to see you,
when you were born the scale of the world shifted substantially
and it neither expanded nor contracted. You were like the saints, conceived
but not engendered. Like them you hear voices but not your own.
Hagar was a slave in the middle of the desert. Ishmael the prophet of the wounded,
voice of the animals, foot of the lame. Ishmael the mystery of rain before the cloud,
skeleton of boats, blue of the flame. Ishmael plants stars in the grain fields.
He sows corn and fear on every page. Leaves red flowers
in the silt of the lake. He leaves ash in his mouth, fresh grass in her belly.
His hands, salt water. The desert loves the illegitimate. Its law madness and heat.[3]

[3] "Death is the only thing that instructs, but only when it appears. When not there, it is completely overlooked. Those who can live with death can live truly, except this is almost intolerable. (…) Death is the great destroyer of all images and all stories, and humans will never be able to fully represent it. Their only recourse is to count on pain, to try and cheat death with pain. And suffering nourishes the images. It feeds them, makes the images more beautiful…"

O FRÍO

O vento atravesa a ferida do corpo
dun xeito tan sensible que non se trata
xa dunha invasión nin dun sinal de
pertenza. É como se o interior
entrase no exterior. Dixéronlle
que a ferida curaría, pero ninguén
lle dixo canto vai estrañar
a ferida cando sande. Que o vento
e o frío entren no corpo e a fagan
tremer é unha cousa dificilmente
comparable a ningunha outra.
É unha cousa capaz de desfacer
a fronteira entre o amor e o que se ama,
o límite entre a creación e as criaturas,
a distancia entre o acto de nacer
e ese recén nacido que somos ante
o acontecemento extraordinario
de que o vento entre en nós
    a través da pequena ferida do frío.

A PEL

No pasado, a experiencia física do amor compuxo
bosques e estepas dentro dela. Agora ve medrar,
no límite da súa cintura, o deserto da neve e sabe
que xusto aí, onde a súa pel é máis branca, se alguén
a tocase, a fendería. O amor actúa directamente
nese punto, despregando a súa ética das sensacións,
unha ética a medida do infinito. A felicidade da pel
consiste en deixarse ir. (Se o mar fose de area,
quen lles daría de comer aos peixes?) Agora ela
está enferma e olla para o corazón da froita, e pode
ver un fósil, algo así como a figura dunha serpe.
E sente que con cada pequeno movemento dos pés
é quen de desatar a enerxía acumulada pola especie
durante millóns de anos. Sente que o que acontece baixo
da súa pel é todo o que acontece baixo da pel do mundo.
Son fantasías, pero o certo é que a enfermidade a levou

THE COLD

The wind crosses the body's wound
in so soft a manner it is no longer
an invasion or even a sign
of ownership. It's as if the interior
had gone outside. They told her
the cut would heal, but no one
told her how she would miss it
when the cut was cured. That the wind
and cold enter the body
and it trembles can hardly
compare to anything else.
A thing capable of consuming
the border between love and loved,
the limit between creation and creatures,
the distance between the act of being born
and the newborns we are
before the extraordinary act
as the wind crosses us
through the small cut of the cold.

THE SKIN

Once, the corporeal experience of love settled
woods and grasslands within herself. It thrives now
in the confines of her waist, that desert of snow,
she knows just there, where her skin is whitest,
if someone were to touch, it would crack. Love works
just here, where it spreads its ethics of sensation,
infinitely pitched ethics. The joy of skin
is in its loosening. (If the sea were made of sand
who would feed the fish?) Now she is sick
and keeps an eye on the fruit's heart, she sees
a fossil, something in the shape of a serpent.
She feels with every small step she manages
to unravel the energy of the species accumulated
over millions of years. She feels what moves
under her skin is what moves under the world's skin.
Fantasies yes, but the fact is that her sickness

de volta á súa casa, e a súa casa era o corpo. Unha man
que se achega e a aloumiña, a ollada que alguén deita sobre ela:
o aceno máis livián pode guiala camiño do seu corpo
e facer del un templo. As serpes mudan de pel,
pero como se chama a varredura transparente que deixan
detrás delas? As nais zugan cos beizos a ferida,
pero como se chama o sangue que recollen para que os nenos
deixen de chorar? A pel nace onde morren as palabras.
A linguaxe é o interior e a pel é reversible. Fálannos
desde o berce e cóllennos da man para que andemos.
Pero a carne é distinta da roupa porque doe.
É como a música que non pode cifrar a partitura,
os números que suman e dividen. Na pel dos outros medran,
anoados, o pasado e o porvir. A nosa pel é un túnel cara aos outros.

O SANGUE

A muller esperta no medio da noite, no intre no que alguén di:
– Pínchate cunha agulla e dime de que cor é o teu sangue.
– O meu sangue non é nin azul nin vermello, responde ela.
Despois vai reparando lentamente en que non hai xeito
humano de mirar sen que ninguén te mire. Ao día seguinte
soña que come pedras e que non son malas de tragar.
Que camiña de noite, serena e espida, como as mulleres
dos cadros de Delvaux. Que alguén deixa un pano vermello
debaixo da almofada e por iso é quen de ver o rostro do
seu futuro amante, e os dous dan condensado nun segundo
do soño o tempo da súa vida, e aforran case todas as caricias
e todas as conversas. O sangue é escuro e espeso,
ten a nobreza das substancias sólidas, unha nobreza que
– case exclusivamente pola cor – adquiren tamén certos
pigmentos e os pousos do viño. A diferenza das nais, ela
concédelles cadanseu espazo ao sangue e ao seme.
Sabe gozar da potencia infinita desa división, e ao separar
cada un dos espazos, na práctica libéraos. Por iso desconfía
dos poderes sagrados da lactancia, ao tempo que recoñece
a participación do leite na potencia do trigo. O deserto
é infinito e os fillos non son vosos. Por iso ela non ten medo,
e de noite, entre o soño, alguén sen rostro pero non
ameazante (unha presenza amiga) aparece para que non

brought her home, and home is her body. A hand
advances a touch, the glance that once rested on her:
the slightest gesture can sway the way to her body,
cast of it a temple. Serpents slough off their skin,
but what do you call that transparent residue they
leave behind? Mothers suck the wound with their lips,
but what do you call the blood they collect that stops
their child from crying? Words die where skin is born.
Inside is language and the skin is reversible. They talk
to us from the cradle and take us by the hand to walk.
But the flesh is different from clothes because it hurts.
It's like music and yet you can't read the score,
the numbers that add and divide. The skin of others thrives,
the past and future fused. Our skin is a tunnel to them.

THE BLOOD

The woman wakes in the middle of the night the moment
    someone says:
– Pierce yourself with a needle and tell me the colour of your blood.
– My blood is neither blue nor red – she responds.
Then it slowly dawns on her there is no way humanly possible
to watch without being watched. The following day
she dreams of eating stones that are easy enough to stomach.
That she moves by night, naked calm, like the women
in Delvaux's paintings. That someone leaves a red cloth
under their pillow and can see the face of their future lover,
and the pair condense the time of their life into a dream second,
holding over almost all the caresses and conversations.
Blood is dark and dense, it has
the integrity of a solid substance, an integrity that
– almost exclusively for their colour – certain tints
and sediments of wine take on. Unlike mothers,
she gives separate space to blood and semen. She knows
there's no end to the power of that severing,
the absolution of keeping distance. That's why
she is wary of the sacred powers of suckling, yet knows
the place of milk in the power of wheat. The desert
is endless and her children are not yours. And so
she is not afraid, and at night in dreams, a faceless figure

esqueza que os humanos non somos animais da razón
nin animais da fala. Somos animais da ruptura,
da discontinuidade temporal. Capaces de querer
calquera cousa que queiramos con toda a intensidade
posible en cada instante. No trígono de lume
que as estrelas compoñen para os dous ela pon un imán
e a flor do trevo. Procurará a súa imaxe nas singularidades,
nesa pinga de sangue que aquela voz sen rostro
lle ordenou extraer durante o soño. E a voz
sen rostro de día volve ao corpo, e ela comprende
que felizmente ningunha posesión volverá ser posible,
e non quere nin que el a desexe nin que a lembre,
senón que siga vivo na calor da súa pel, tal e como ela
soña que nace no seu corpo a cada instante.

O AMOR

Pasan os ríos ocultos baixo o chan das cidades igual que pasa o amor,
    que afunde
o corazón dos animais humanos sen que eles saiban nin coñecelo nin
    nomealo.
E así é como uns o confunden coa fame, outros coa sede, e os máis coa
    transmisión
de nós en outros: as trabes de madeira, a comida no prato, a calor baixo as
    sabas.
Mais que sería do amor se fose recoñecido e nomeado? Onde se agocharía
el que naceu para levar no rostro un antifaz e no sexo unha espada?
Non ama o amor a paz, e ninguén debería falar de amor para falar de nada
que non fose este río, o interrogante estremo da carne que se abre e, aberta,
se desata. Nada que poida ser levado pola man a unha culminación.
Nada que teña fin. Nada que se sitúe fóra de si mesmo. A alegría dáse
    no amor
coma o tremor na auga. A alegría dáse no amor coma o fragor no lume.
Pero nunca é feliz o verdadeiro amor. O amor pide guerreiros, persoas afeitas
a vivir en condicións estremas ou, pola contra, febles. Non tanto para os
    poñer a proba
como para sacar á luz a súa potencia oculta, que pasa a través del e a
    través deles,
que non é unha potencia persoal nin sobrehumana. É unha forza de auga.

appears, not threatening (a friendly presence) and so
she never forgets humans are not animals of reason
nor animals that speak. We are animals of rupture,
of the temporal breach. Able to love anything
we want with the intensity of every given moment.
She places a magnet and a clover flower
over the trine of light the stars compose for them.
She will meet his image in the quirks,
in the drop of blood the faceless voice
bid her draw in her dream. By day, the faceless
voice returns to its body, she knows and is
happy there will be no more possession,
she doesn't want him to remember or yearn for her,
just let him live in the heat of her skin, just as
she dreams her birth in her body's every moment.

LOVE

Rivers flow hidden under the city streets just as love flows that sinks
the heart of human animals who never realise, recognize or name it.
It's confused with hunger, it's confused with thirst, it's confused with us
as we shift onto things: wooden beams, food on a plate, heat under the
    sheets.
And what if love were known and named? Where would he hide his
    birthright
of the face-hung mask, the sword in his sex?
If it lulls it isn't love, and don't talk to me about love unless you talk
about this river, the ultimate question that opens the flesh, and once
    open
is unleashed. Nothing will peak that's taken by the hand. Nothing
that ends. Nothing that can be held beyond itself. Joy in love
is a ripple in the water. Joy in love is the fire's bellow.
But it's never happy, true love. Love wants warriors, bodies given to
extreme conditions, or on the other hand, to weakness. This is not
a test, but a bringing to light of the hidden power flowing through love
and them. It's not a personal or a superhuman power. It's a force of
    water.

Pode apagar o lume e ser o aire dos peixes, alimentar a terra e
  corroer o ferro,
facer medrar o trigo e estragar as colleitas. Por iso flúe comigo,
pura paixón do poema, porque eu non nacín máis que para
  escribir
e ser escrita, porque eu nunca escribín máis que para nacer e ser
  amada.

A LOBA

O que estamos dispostos a escribir
secará no papel
como leite callado ou sangue morno.
Así recoñecemos
todo o que non precisa ser escrito.
A loba dá o seu leite
aos irmáns que se matan entre si.
O bosque fai criaturas
para medrar con elas
e deixa na súa pel unha humidade
que precede á linguaxe:
esa auga que non pensa
e con todo permite ser pensada
riba da pel da loba.
No bosque nin as luces desexan esa noite.
Que hai no leite materno
que conmove a razón
e desviste a soidade.
De que peito colgaba ese alimento
que non sabe ter fin.
Así pode o aforcado
recoñecer a vida na súa corda
e no centro do lazo
a imposibilidade de escapar.
El entende esa voz, «non hai saída»,
e mesmo así pendura canto pode
e vaise co que ten ao seu propio futuro.
O aforcado élle fiel a unha utopía.

It can quench fires and can be the air of the fish, it can feed the
   land and rust iron,
make wheat grow and destroy crops. And it flows through me,
pure poetic passion, because I was born for nothing else but to
   write
and be written, because I write for nothing else but to be
   born and loved.

THE SHE-WOLF

What we are inclined to write
will dry on paper
like clotted milk or warm blood.
So we see
what we don't need to write.
The she-wolf gives milk
to the brothers who kill each other.
The forest forms creatures
to thrive among them,
leaves a moisture on their skin
that promises language:
that heedless water
that suffers thought
on the she-wolf's pelt.
In the forest, not even the light wants night.
Why does mother's milk
stir reason
strip solitude?
From what breast drops
the food that knows no end?
The hanged man strung up
sees life in the rope,
at the knot's core
no chance of escape.
He hears "no exit",
yet hangs on all the while
then leaves broke to his fate.
The hanged man has faith in Utopia.

A loba escolle a noite, a loba non.
Abéirase no frío, non do frío
porque no vento aberto recoñece
o seu mellor amante,
e ouvea só no inverno, cabo del
porque nel pode ver o abrigo que precisa,
o que ensume o seu corpo
e sacrifica o mundo.
O bosque non consiste nun rescate da carne
e cando cae o mundo, o ceo tapa a loba.
Dálle o leite de balde e só lle cobra os días.
É sabido que o frío garda os corpos,
pero a loba non pide ser lembrada.
Non deixará pegadas sobre a neve.
Non pousará as gadoupas nas pedras da cidade.
Lonxe dos adros, lonxe do sentido
alimenta os irmáns. Sobre todo alimenta
a súa destrución. Non transmite palabras
porque non hai futuro no alimento
e os heroes só morren nos brazos dos iguais.
A auga seca no pozo: non sabe construír
un balde que a compoña e morre baixa
(baixo esas condicións
non hai auga que poida ser materna).
O historiador procura algún destino
nas pegadas que a loba non describe.
É doado lembrar o branco dunha folla
no espesor da xeada.
Os que toman o leite tampouco ven sinais.
Quen describe os sinais esquece o leite.
Nunca alimenta a loba a todos os seus fillos.

ENSAIO E ERRO

O poeta queixábase: "Teño o corazón traballado
como o dun home que anda esculcando un segredo."
Por detrás da ventá as árbores florecidas
partían en oito metades o esqueleto da tarde.
Era a súa humilde forma de caber nos ollos da bibliotecaria,

The she-wolf chooses night, not the she-wolf.
Takes cover in the cold not out of it,
she knows the open wind
is her only lover,
she only howls in winter, in the wind,
because in the wind she greets
the shelter she needs,
a shroud on her body
that sacrifices the world.
The flesh finds no redemption in the forest
and as the world declines, the sky covers the she-wolf.
Milk flows freely, only the days are owed.
It's known bodies settle to the cold,
but the she-wolf asks not to be recalled.
She leaves no prints in the snow.
She will not claw the cobblestones.
Far from the churchyard, far from meaning
she feeds the brothers. Yes, above all else
she feeds them to death. No words
because there is no future in her nourishment
and heroes die in each other's arms.
The water dries in the well: it can't shape
a pail to hold itself and dies beneath the ground
(under these conditions
there is no maternal water).
The historian traces a route
in the prints the she-wolf doesn't leave.
It's easy to recall the white of a sheet
in the thickness of an early frost.
The milk drinkers don't see the signs.
The sign finders forget the milk.
The she-wolf never feeds all her young.

TRIAL AND ERROR

The poet complained: "My heart is overdone
like the man following the unknown."
Outside the window the trees in bloom
rendered into eight the evening's bones.
Their seasoned means of mildly catching the librarian's eye,

afeita a educar a súa vista en contra das horas do día.
Ou falamos das árbores porque non temos tempo?
En qué territorio as árbores deixan de ser
unha semente que só medra na boca
e enraízan no aire da noite, nos dedos de quen cava?
Pero este non é un poema ruralista.
Alguén deixou escrito
que cómpre camiñar mirando ao ceo,
cara as árbores todas.
Non porque o teito fose mellor que o chan.
Séculos hai que outros perderon esa guerra
(a terra só enmudece cando a pisan).
Pasou por entre as árbores, nunca tal cousa vira,
e dixéronlle: ti que o entendías todo
e non viñeches: que fai esa palabra
deitada nos teus labios?,
onde florecerá se non a soltas?,
por que non te perdiches no bosque de carballos
dos meus primeiros medos?
Tantas eran as causas interpostas
que a muller quedou xorda, quedou cega.
"Unha noite heivos dar
o colar de esmeraldas do meu sangue",
e abría con coidado a súa pel branca.
E se as árbores tivesen o corazón no centro
a quen desexarías transplantarlle a médula do espiño?
E se o corpo do home fora, desde o comezo,
dividido do corpo da muller,
que facían eles, a esa altura,
alimentando coa súa carne os erros do contrario?
El atíñase aos feitos, faláballe da guerra
pero o que a conmovía non era o seu relato
senón o modo no que a historia
era laboriosamente evocada para facerlle ver
como chegara a ser o que era agora.
Moito tempo despois ela entendeu.
Os feitos poden ser unha caricia,
sobre todo se somos imprecisos
e tamén algo menos (como cando a luz declina
facerlle un sitio ao tacto: ao sentido do tacto:
o seu sentido). A cerdeira no espiño:
un enxerto da historia na nosa simple vida.

of prising her gaze from the day's hours.
Do we talk about trees because there's no time?
In what neck of the woods are the trees
not just a seed growing in the mouth
taking root in the night air, under digging fingers?
But this is not a country poem.
Someone once wrote
we must walk taking in the sky,
facing all the trees.
Not because the ceiling is loftier than the sod.
For ages now they've been losing that war
(the land lies numb when trampled on).
She walked between the trees, having never seen such a thing,
and they said to her – you who understood everything
yet didn't come: what is that word
doing hung on your lips?,
where can it flower if there's no leap?,
why didn't you lose yourself in the oak grove
of my original fears?
Such a caulk of causes raised a blockade
the woman was struck blind, struck dumb.
"One of these nights I will give you
an emerald necklace of my blood",
and delicately he peeled back his white skin.
And if trees had a heart
to whom would you wish to transplant the hawthorn's core?
And if man's body was right from the start
split from woman's,
what were they doing
feeding each other the errors of their opposite?
He stuck to the facts, spoke of war,
and what moved her wasn't his tale
but the telling, so laboriously told
as to make her see how he came to be
what he is now.
Later, she understood.
Facts can caress,
more so when we lack accuracy
and even less so (when the light declines
a space to touch: that sense of touch:
her sense). The cherry tree in the hawthorn:
a graft of history onto our simple life.

Os datos eran o único que podían compartir.
Cando chegou o rei déronlle unha soa pedra
e ergueu a lingua toda.
Ordenou que a cercasen cun valado
para que os tradutores fixesen a súa garda.
O poema é a rede onde todas as criaturas
imaxinarias caen.
Un pode recoller a rede ou estendela
pero no chan de lousa do papel
o que foi noso morre. "Non me interesa nada
do que cae no poema sen fendelo".
Os sabios equivócanse na mente.
Os demais precisamos a lama para errar.
E o negativo das horas, quen o revela?
Quen se atreverá a entrar no cuarto escuro dos días,
ver renderse de novo o que esquecemos
e perder o reverso da experiencia,
– o seu tacto rugoso – a cambio da visión?
Di tu, rei sen coroa, escoita como os erros
viñan de moi atrás
(neve na chaira, arxila, canaval,
lugares nos que o tempo prepara a súa xordeira).
E o resto é soidade:

Facts were the only thing they could share.
When the King arrived they gave him just one stone
and he raised the entire language.
They enclosed it as told
for the translators to keep their watch.
The poem is a net where all
the imaginary creatures fall.
You can gather it up or cast it out
but papering the flagstone floor
was the death of us. "I have no interest
in what falls into the poem without breaking it."
The scholars are unsound.
The rest of us foul in the muck.
And who'll develop time's negative hours?
Who will dare enter the days' dark room,
see appear once more the forgotten,
suffer the flip side of experience,
– its rough touch – all for a vision?
Speak! Uncrowned King, hark the errors
reaching from way back
(snow on the plain, clay, the reedbed,
those places where time settles in deafness).
And the rest is solitude:

DANIEL SALGADO

PHOTO: ANDRÉS FRAGA

Daniel Salgado (Monterroso, 1981) works as a journalist. He has published seven poetry collections, including his first *Sucede* (It Happens, 2004) and his more recent *ruído de fondo* (Background Noise, 2012) and *Dos tempos sombrizos* (On the Dark Times, 2013). His book *A Guerra* (The War, 2013) was written in collaboration with the poet and essayist María do Cebreiro. He also collaborated with the artists Inés Pallares and Fonso Castro on his book *ensaios* (Essays, 2015). His poetry has been gathered in numerous anthologies.

Salgado has translated Allen Ginsberg, Amiri Baraka and Adrienne Rich into Galician, and Lois Pereiro, whom he has also anthologized, into Spanish. He has written lyrics and "fumbled", in his own words, with synthesizers for the electronic music band Das Kapital. With the writer and journalist Manuel Darriba he wrote a political chronicle on Galician left-wing nationalism, and coordinated, along with the essayist and editor Manuel M. Barreiro, the book *Entrementres. Ensaios para unha nova política* (Meanwhile. Essays for a New Politics, 2014).

* * *

Occidente mosca e sono,
anaco favorábel
de horizonte,
dedo maiúsculo
e pedra, por suposto, cocendo preta
densidade
de porto industrial envolto en cabelo tinxido
e policía para o imperio.
Vive na idea do final e no cuspe de occidente.
Evita mentar o choqueiro
dunha avenida na cidade occidental. Estala
os espellos
en calquera letra,
en calquera zapato, en calquera
cabeza,
en calquera voz de dicir outras cousas.
Que non se mire máis a si propia
esta beira
escura
dos lugares,
esta carta,
        retirada,
                zona fea,
ruído de luz.

TODAS AS COUSAS

poñer todas as cousas
nun poema de amor: a maneira
de explicares
a paisaxe do alentejo.
un café.
qué imos facer
con este idioma.
compañeiros de viaxe ou cousa
de estertor.

o pouco de te mirar como este sol xeado.

* * *

West louse and sleep,
a conveniently snatched
horizon,
capital finger
and stone, naturally, cooking
cloyed
port industry stewed in dyed hair
and police for the Empire.
Live in the notion of the end and Western drivel.
Say nothing of the bling boulevard
of a Western city. Crack
the mirrors
inside any letter,
inside any shoe,
inside any head, any
voice that says something different.
Don't let it look at itself any more
this empty
dark
place,
this deserted
   letter,
     ugly stretch,
light noise.

EVERYTHING

putting everything you've got
into a love poem: like describing
the Alentejo flats.
a coffee.
what we will do
with this language.
just along for the ride
or a death rattle.

the little I see you like a frozen sun.

porque facemos parte
daquela guerra
que se perdeu
a min xa me doen os dedos.

todas as cousas:
cada recanto
onde sentaches a ler rayuela.
a vixilia polos anos luídos
o sorriso tan amplo
que canga os ombros.

non coñecer
remedio para este silenzo

ÉXODO (fragmento)

   ...

en
todo caso,
no papel funciona a lóxica de
paz / pan / terra e as consignas
carecen por completo de importancia
se rabuñamos na pel da historia deica o sangue,
se pretendemos arrebolar metáforas contra escaparates
ou acaso ficarmos na casa,
esculcando xenealoxías, arquitecturas poéticas,
remexendo nas gabetas encouzadas
onde as fotografías apreixan feiras, festas e mercados,
e o chaleque do avó ole a posguerra mais en realidade
estamos a falar do subdesenvolvemento e
da redención de contos esmagados, xa se
sabe o que hai nun caixón,
óculos vellos, carnés da sociedade agraria, do sindicato,
moedas caducadas, carnés
do Ministerio de Interior, cartas, cartas,
documentos notariais, anacos de xornal e as chaves
que non valen e enferruxadas
relatan como se nos fechou

because we are part
of that war
that was lost
and my fingers already hurt.

everything:
every corner
where you sat reading hopscotch.
the vigil of the battered years
the smile so big
your shoulders choked.

not knowing
a cure for the silence

EXODUS (excerpt)

   ...

either
way,
the logic works on paper
of peace / wheat / earth and the slogans
lack all importance
if we scratch history's skin it bleeds,
if we try to lob metaphors against dressed windows
or even just stay at home
looking through genealogies; poetic scaffolding,
rummaging about in woodwormed drawers
where the photographs cling to fêtes, festivals and markets,
and your grandfather's waistcoat smells of post war, though in reality
we are talking here about underdevelopment
and the resurrection of crushed stories, you already know
what's in the drawer,
old glasses, cards from the agrarian society, from the union,
old coins, cards from the Ministry
of the Interior, letters, letters,
legal documents, newspaper clippings and the useless
rusted keys
that tell us how we were shut off

o acceso ao que agora somos, in memoriam de Rubén
Castro Fernández e Isolina Beatriz Rocchi Barreiro,
desaparecidos a noite do vinte de maio de
mil novecentos setenta e sete,
en Buenos Aires,
cando circularmente participaban do que
Hebe Susana de Pascuale chamou
unha esperanza colectiva de xustiza para todos,
e foi en xullo e en 2004 e a luz era tan nidia
que se albiscaban aldeas na aba do monte de Arxiz,
nada sinalou que a madrugada fora estraña,
que amigos e finais de verán
resultan case o mesmo calafrío nas veas
sen outra consideración que o dereito adquirido
a pousaren mans e voz e ombreiros encol do que por
veces
coidamos o mundo todo nas costas:
os teitos
as cambras,
a deda índice,
o cuspe en cada fronteira de Europa Occidental,
a política exterior de cada xeonllo e
o dereito adquirido polos amigos
a diciren que este poema non serve
máis que para escusarmos as apertas e os bicos
ou os outonos que dá avellentar igual que as nosas
bandeiras e de cheo
no verán, mentres continúa
o proceso de acumulación de cousas silenciadas, subidas,
arrepostas,
mentres botamos contas dos cuarteis inimigos intactos,
dos furados que arden cando a tregua é trampa,
o parlamento, non nacional,
e o que che hai é unha parede tan nos ollos e a periferia,
contra o centro como a tese contra a antítese
e a humanidade dentro do bafo que retés
porque non sobra precisamente alento
nin ansias de fender as carnes para que algo diga
que é o que agora somos e
xusto
diso
vai tratando este poema, de que alguén

from what we've now become, in memoriam
Rubén Castro Fernández and Isolina Beatriz Rocchi Barreiro,
disappeared the night of May twentieth,
nineteen seventy-seven
in Buenos Aires,
when they all took part in what
Hebe Susana de Pascuale called
a collective hope of justice for all,
and it was July and it was 2004 and the light was so sharp
the villages were glimpsed on the slopes of mount Arxiz,
nothing to suggest the morning was different to any other,
that the friends and high summer
chilled to the veins
with nothing but their civil rights
to lift their hands and voices, their shoulders behind
these times of the world
when we take care of things
the roofs,
the cramps,
the index finger,
the spit at every border in Western Europe,
the foreign policy of every knee
and the right earned by friends
that says this poem is no more
than an excuse for the lost hugs and kisses
and all the autumns fall on our heads
as we age like flags and then
in high summer
while it goes on
adding more silence, rises and oppositions,
while we count off the enemy barracks still in one piece,
the holes burning when it's a trick the truce,
the parliament – non national,
and what's left is a wall up to your eyes and all around you,
against the centre like the thesis against the antithesis
and the humanity inside the breath you hold
because there's not exactly any breath left
nor desire to tear open the flesh and see
what we've really become
and rightly
all this
is what this poem is after, that someone

ou algo
digan
o que agora somos

...

POESÍA E POLÍTICA

Hai tempo xa de case todo e tamén do último verán,
o que vivimos arrimados, con vertixe
de libro de historia, máis ben evitando calor e apertas,
serios porque o impoñen a luz e as condicións obxectivas
da nación, as cancións con zapatos de Woody Guthrie
e o desprazamento das mellores mentes da xeración de noso,
definitivamente contrarios a expulsarmos nada que non sexan
adxectivos, gañados para refacermos un sitio onde estar,
tantas cousas que non nos acontecen na pel pero
que queiman, que estragan, que cercan, que abren,
sen posibilidade de que o asunto chegue a lugar diferente
nin de que diga que escolle outras praias máis agradecidas
nin de que hoxe e agora ceguemos ocos na palabra,
e abofé que non imos negar conforto, comodidade, morneza,
ás cafetarías, só que non se trata de anchura
senón de como respiramos, qué incorpora en nós o arreguizo,
quen acompaña os días,
quen acompaña os días ou quen non escribe o poema político,
cando habemos entrar nas espléndidas cidades.

EL QUINTO REGIMIENTO

Sagradamente entran os obxectos que antes non entraran,
as casas que duran apenas unha xeración, teus os ollos
da mesma cor que non calarmos perante a tropa
invasora, todo, tamén ti enteira e o que presta saberte
aquí, así, co corpo deitado no colo da guerra global,
tamén ti imposta, irremediábel, tan entre os séculos, tan
entre ausencia de mapas, tan entre o que nos ofrece

or something
may say
what we've become

...

POETRY AND POLITICS

It's been a while since something almost happened and the last
    summer
when we all lived cheek by jowl with vertigo
off the history book, holding back hugs and warmth,
grim because of the light and the objective conditions
of the nation, the Woodie Guthrie shoe leather songs
and the best minds of our generation gone,
we are absolutely against any cleansing except
the adjectives, just a little something to fix up the place,
so many things that don't ruffle the skin but that
burn, ruin, besiege, that open,
there's no chance of the theme going astray
or that it would call for sweeter idylls
or that here and now we'd block the words
and we'll surely talk about the comfort, solace and warmth
of the cafes, but this is not about comfort
but breath, what gives us the chills,
who is by our side all the days,
who is by our side all the days and who doesn't write political poetry
when we enter the splendid cities.

THE FIFTH REGIMENT

Sacredly there is room now for things there never was before,
the houses that don't last a generation, your eyes
the same colour as not falling silent in front of the invading army,
everything, and you flat out, so good to have you here
like this, putting your body in the lap of the global war,
you burst right in, incurable, down through the centuries
and across the blank maps, and everything you gave us

seguirmos e seguirmos e seguirmos e seguirmos
até aprendermos o movemento dialéctico das mans,
a usura dalgunha noite, a grave inutilidade
do poema de amor, porque non andamos e mágoa
a época de estourarmos as pontes, con todo non fica unha
en pé, iso si hai pernas e sabas e palabras que se esgotan
e os apeadoiros da historia que aínda non albiscamos
e é probábel esta retórica como de que se pode vencer
e desta volta venceremos e ti que arrodeas cos brazos
a idea que teño de te coller mentres o mundo
se vén máis ou menos abaixo e o colapso
da memoria admite o adxectivo fratricida respecto de 1936
e o que en verdade falta ademais da celebración de estares,
das almofadas que resumen os comezos, do
predio dun convento para a refundación da resistencia,
en verdade o que falta podes ser ti
por cada unha das tardes mirando a vida sen a vivir.

A FIN DA HISTORIA
  [*F. Fukuyama*]

Conta Outeiriño que en Londres,
no cemiterio de Highgate,
os ionquis van roubar flores
á tumba de Marx
"Porque aínda ten flores,
señores,
aínda ten flores".

ASCENSIÓN (fragmento)

  ...

existe retroceso e un dente equívoco
que proporciona estancias e caribe, hai
aquela cadencia en cada fractura,
aquela formiga dentro e praias onde deitar
a nosa falta de memoria histórica,

to follow and follow and follow and follow
till we learn the dialectic movement of hands,
the usury of a night, the solemn vanity
of a love poem, because we don't turn back and regret
and the times we blew up the bridges, and nothing
is left standing, even if there's legs and sheets and words to deplete
and the lay-bys of history we've yet to glimpse
and it's possible this rhetoric will lead us on
and this time round we will overcome as you wrap your arms
around this idea I have of holding you while the world
more or less falls apart and the failure of memory
admits the adjective fratricidal for 1936
when what we need more than celebrating just being here,
the pillows where it all starts again, the
patio in a convent where we'll start the new resistance,
no, what we really need now could be you
every afternoon looking at life without living it.

THE END OF HISTORY
[F. Fukuyama]

Outeiriño tells the story
of Highgate cemetery in London,
where the addicts rob flowers
from Marx's grave
"Because they still leave flowers,
gentlemen,
they still leave flowers."

ASCENSION (excerpt)

...

there is recoil and a loose tooth
that shows up short spells and Caribbean, there's
that cadence in every break,
that ant inside and beaches to lay down
our missing historical memory,

é coma quen leva no sangue Antillas
e desterros, catedrais e empardeceres
terma dos agravios e cóllete a unha interpretación
amábel dos tempos, aquela que oculta
a recondución das carraxes,
o fermento do acougo, a dinamita,
non é consciente do abismo nin
do crime organizado, do tráfico ilegal
de segredos de estado e de imaxes
de santos, haxa furacáns ou treboadas
ou remuíños
ou chairas tan lunares, os hábitos
do sindicato, elevación
e escuridade, dicían os patriarcas, dicían
as burbullas que máis vale recompoñer
as alianzas ca lamentar as mudanzas de para-
digma, a invalidez do poema á hora
de se enfrontar ao que vive debaixo da terra,
a existencia exemplarmente soterrada
a vida sen osíxeno, a falta de
dobraduras: confiar no hermético, a
única saída atópase na decisión
entre a alerxia e o enterramento definitivo
do pasado adolescente: a traizón
consúmase militarmente e non hai
sabedoría que funcione na idade adulta,
apréndese a forza de ocupacións,
de negar o dereito internacional e servirse de artillería
non lexítima,
da timidez exposta ao espectáculo
como se expón a terra na épica ruralista,
comeza o espolio, a loita
continúa e os acordos de paz esnaquizados
marcan o tempo histórico e as coordenadas
xeopolíticas, o poema tatexo,
a versión mutilada da modernidade,
o que debuxa urbanismo salvaxe e desaparición
dos abrazos, *this is the
time / this is the record
of the time,* o pesadelo aniñado xusto
no centro da gorxa, onde se desenvolve

it's like someone who carries Antilles and exiles
in the blood, twilights and cathedrals
the pull of the insults, an amiable
reading of the times, one that hides
the rages deflected,
the yeast of calm, the dynamite,
and you're not conscious of the abyss
or organized crime, the illegal traffic
in state secrets and holy pictures
whether there'll be hurricanes or squalls
or whirlpools
or lunar plains, the quirks
of union, elevation
and darkness, said the patriarchs, said
the bubbles that your time's better spent forging
alliances than mourning the para-
digm shift, the poem's detriment the moment
you encounter what lives beneath the earth,
the life meritoriously buried
the life without oxygen, the lack of
folds: trust in the hermetic, the
only way out lies in detecting the decision
between aversion and the definitive burial
of the adolescent past: treason is consumed
militarily and there is no wisdom
that works in old age, it grows
from the force of occupations,
denying international law at the service
of non-legitimate arms,
and the recoil faced with the spectacle
what the landscape shows in a rural epic
the plundering begins, the struggle
continues and peace accords in smithereens
mark time along history's line,
the geopolitical coordinates, the poem stutters,
a mutilated version of modernity,
a sketch of savage urban planning and the disappearance
of embraces, *this is the*
time / this is the record
of the time, the nightmare
nestled right in the middle
of the gullet, where the voice unravels

a voz e residen animais,
onde os esqueletos se apropian á fin do poema
e transfórmano
en cinza e serradura,
en cadáver, en asunto de derrotas,
e porén o poema non narra, apenas acumula
e proclama, descose,
orgullosamente suicida procura colectivización
e consigna,
a crítica radical de todo o existente

    …

OFICINA

: debaixo da mesa,
a carne e os ósos,
a sombra e
as asfixias. desata
vexetais, invade as illas.
toxicamente,
o poema non remata:
considera

    *

na boca do mar negro
no regreso inminente, nas
arterias, nun territorio escuro,
naquela aresta do vento

    *

todos os obxectos da lingua, toda
a luz da terra,
calquera imposición dirixida
a dentro: non hai prata,
non sabemos doutra superficie

    *

and animals live,
where the skeletons filch the poem's end
and pawn it into
ash and sawdust,
cadaver, into the stuff of defeats,
however, the poem doesn't tell, it just racks up
and spiels, in stitches,
insolently suicidal, procures collectivization
and consigns
the radical critique of all that lives

       …

OFFICE

: under the table,
meat and bones,
the shade
the strangulations. vegetables
loosened, islands invaded.
toxically.
the poem does not finish:
it considers

       *

in the mouth of the black sea
in the impending return, in the
arteries, in a dark province,
in that tip of the wind

       *

all the elements of the language, all
the light of the land,
whatever demand sent inward:
there is no silver,
no other surface we know

       *

como coloca paul celan as comas
johannes bobrowski, a admisión
das durezas da escrita, o lugar
onde se xunta o ceo cos liques
no monte farelo, a auténtica
xínea dos cousos, da xesta, a madeira
interposta entre nós e os días.
todo semella conducir a materia
antiga, ás célebres uces que compare-
cen así no poema e significano
na banda do memorial, da inscrición,
nas estremas que fundan continente
e artes do bosque. é
igual que se valer das unllas para
transportar o tempo da erosión,
cinza de ósos, cara ás
coseduras que pegan a lingua
aos camiños e que celebran
a marxinalidade da carne

*

nelly sachs: esa pedra
coa inscrición da mosca

*

a necesidade
de desmantelar o artificio
imponse.
velaí se xogan as distancias,
a época, o reparto
de responsabilidades
as flores negadas

*

as fórmulas esgotadas, a
defunción das poéticas
isolacionistas,
as estratexias opacas,

how paul celan places the commas
johannes bobrowski, admitting
the hardship of writing, the place
where the sky finds the lichen
on mount farelo, the true
lineage of navelwort, broom, the wood
stuck between us and the days.
everything seems to goad on to ancient
matter, to the glorious heaths that app-
ear like this in the poem and stand in
for the binding of memory, the inscription,
the borders that found a continent
and forest arts. similar
to clawing along to shift
the erosion's moment,
bone ash, facing
the stitches that tether the tongue
to the paths and that celebrate
the partition of flesh.

*

nelly sachs: that stone
with the fly's inscription.

*

the necessity
of dismantling the artifice
prevails.
they put it all into play
the epoch, the split
of responsibilities
the forgotten flowers

*

the spent formulas, the
end of isolationist
poetics,
the murky tactics,

o desprazamento,
a impertinencia do escenario

*

debaixo da urxencia, onde
se abren expectativas
materiais,
onde o río axusta o clima
na consideración provisional
do poema

ASUNTOS DE DERRUBA

na caída da civilización non existe refuxio.
a metrópole baleira, os desertos
detrás do ollo, a curiosa derrota dos
xeonllos, todo iso que indica escenario apocalíptico,
unha desas ruínas que escribe
j. g. ballard e onde retorna a especie
e a súa memoria, a fuxida a través
dunha paisaxe exótica:
a luz das letras, o asfalto, o
bosque que pecha a liña do ceo.
a imposibilidade dunha época dourada.
descríbeo como che pete pero admite
urxencia, recoñece escravitude neste xeito
de enfocar as crises. e antes do exilio,
detén as mans

*

así se introduce o inverno,
en oposición a unha escrita lenta,
deitado sobre a casca dos días
– o cosmos
reducido a pedra –, sen raza
dominante, complicado. non
opera aquí máis lóxica que
a arborescente: hai certo descontrol

the shift,
the impertinence of the stage

*

under pressure, where
material expectations
begin,
where the river regulates the climate
in the provisional consideration
of the poem

QUESTIONS OF COLLAPSE

there is no hiding from the fall of civilization.
the empty metropolis, the deserts
behind the eye, the strange failure
of the knees, all of which tells apocalypse,
one of those ruins j. g. ballard writes about
with the return of the species
and its memory, the escape
through an exotic landscape:
the light off the letters, asphalt,
the forest closing over the skyline.
the impossibility of a golden age.
you make it up as you go along but admit
urgency, recognising slavery in the way
they fix on the crisis. and before exile,
stop your hands

*

and so the winter filters through
against a slow script
strewn over the bark of days
– the cosmos
reduced to rubble – with no dominant
race, it's complicated. there is
no logic at work other than
arborescence: a certain disarray

no corpo da lingua,
nas madeiras da verdade. entre
o determinismo e a herba
estírase o poema. a situación
tende a empeorar: conta
como se coloca o país
neste ángulo do ollo, onde
se perde a vista do río
e a posibilidade doutra vida

    *

o movemento da luz
desterra a pel, son días
difíciles: domina
a ética do inferno, o bombardeo
de campos de concentración,
hai un morto cada domingo
e ao poema non lle valen,
outra vez,
máis que consignas, vermes,
a memoria do perigo, a
indecencia. escapa
dos catálogos: o coitelo métese
nas unllas

TEORÍA DO FREE JAZZ

trátase de impugnar
esta versión dos feitos:
non funciona a lóxica
mercantil e o trazado ofrece
estética de resistencia,
contornos de animalidade,
a indiscutíbel atracción do abismo.
asunto de homicidios e
ferro estremado, disolve certezas,
corta, apreixa a electricidade
e cuestiona calquera relato.
non utiliza espellos.

in the body of the language
the woods of truth. between
determinism and the grass
the poem is stretched. things
tend to get worse: tell
how the country settles
from this angle of the eye, where
you lose sight of the river
and the chance of another life

*

the movement of light
exiles the skin, these are
difficult times: hellish ethics
dominate, the bombardment
of concentration camps,
there is death every Sunday
and once again the poem
is worth no more
than slogans, worms,
the memory of danger,
indecency. it escapes
the lists: the blade drives
under the nails.

THEORY OF FREE JAZZ

it's a question of opposing
this version of events:
market logic doesn't work
and the configuration
favours resistance aesthetics,
animalist lines,
the undeniable attraction of the abyss.
a matter of murders
and screeching iron, certainties dissolved,
it cuts, grabs the electricity
and disputes all versions.
no mirrors are used.

non sabe de capitulacións.
é historia opaca, esquema
e óso, aniquila paredes
igual que a toupeira, deserta,
practica
a liberación de todos

VIGO

Era a razón escura, Gramsci en 1917
redactando Odio os indiferentes, a dirección
en que a verdade repetía: non servimos a ninguén,
o noso rostro é neve, o frío
domina esta vida e nunca, nunca
capitularemos perante a beleza.
Somos o que sobrevive cando se estenden
as raíces mortas, a néboa entre os dedos,
e a burguesía perde taxa de ganancia.

7 de decembro

I

A Inglaterra que amaba a señora Erith xa non existe.
Non é o paso do tempo sobre o que versifican os clásicos,
é unha treboada de ruínas.
A música tampouco anuncia unha vida mellor.
Contra a noitiña
o único que acouga é a vista. O país desaparece.
O aire vén frío

6 de febreiro

II

A discusión é sobre o clima.
No fondo do bar.
Implica saber se o paxaro atravesa o ceo
porque se dirixe ao sur
ou porque venta a destrución.

it never gives in.
it's a dark history, scheme
and bone, it obliterates walls
like a mole, then splits,
plays
the freedom of all

VIGO

It was the dark reason, Gramsci in 1917
writing 'I hate the indifferent,' the direction
where truth repeats: we serve no one,
our face is snow, the cold
dominates this life and we will never,
never bow to beauty.
We are what survives when the dead roots
are stretched, the mist between your fingers,
and the bourgeoisie lose their rate of profit.

7 December

I

The England Miss Erith loved is gone.
It is not the passing of time the classics versify,
but a bluster of ruins.
Nor does music offer a better life.
As night approaches the view
is the only thing that calms. The country disappears.
The wind blows cold.

6 February

II

The talk is of the climate.
The back of the bar.
It's knowing if the bird crosses the sky
because he's heading south
or because he's gotten wind of the end.

Nesa decisión agóchase
o misterio todo do mundo.
É dicir,
a causa última da calor.

8 de febreiro

III

Alguén pode intentar a descrición da xungla.
Pero vence a síntese. O mato aprópiase das azoteas.
No fondo escuro dos parques hai quen dorme
e hai quen proclama estar fóra do comercio.
Os lastros desordenados estragan as pernas.
Este inverno e esta cidade
non deixan máis opción: é tempo
de tratarmos coa beleza e a súa violencia.

16 de febreiro

IV

Un poema de Adam Zagajewski explica
que a metáfora é un fracaso.
Pero non fala do erro. Tampouco
do desequilibrio entre capital e traballo.
Non se detén en como a desesperanza reina e pola noite
as sombras lembran que a linguaxe non é unha ofrenda,

é unha ferida e unha porta,
un lugar corrompido. A desfeita imparábel
dos anos interesantes.

23 de febreiro

INFORME SOBRE O ESTADO ACTUAL DA LOITA DE CLASES

Son terras estrañas.
A chuvia varre a paisaxe e o chan de pedra
reflicte a fin da época.
Que a nosa maneira de vivir
se vén abaixo.

The mystery of the world is hidden
in that question.
To wit,
the ultimate cause of heat.

8 February

III

Anyone can try a description of the jungle.
But synthesis wins. The brambles overcome the roofs.
In the park's dark backdrop someone sleeps
and someone claims to be living off grid.
The bockety cobbles cripple your legs.
This winter and this city
give me no other choice: it's time
we talked of beauty and its violence.

16 February

IV

A poem by Adam Zagajewski explains
the failure of metaphor.
But it doesn't talk of mistakes. Nor
of the imbalance between capital and work.
It doesn't consider despair's reign and by night
the shadows recall that language is not a gift,

it is a wound and a door,
a corrupted nook. The relentless ruin
of the interesting times.

23 February

REPORT ON THE CURRENT STATE OF THE CLASS STRUGGLE

They're strange lands.
The rain sweeping the landscape and stone floor
reflects the end of an era.
Our manner of living
is on the way out.

No xornal non colle o mundo.
Pero nunha vella novela o protagonista fala
do seu odio estratéxico de clase.
O pasado aluma o futuro
como o castiro asombra o claustro
– esta imaxe procede doutro tempo.
Como o movemento organizado dos subalternos
inicia a supresión do estado de cousas existente.
As nubes dominan o solsticio de verán.
Nin sequera a razón instrumental
dá explicado o trazado da historia.

14 de xuño

SAR

O que vén aí pon medo.
Non pasan moitos autos.
Pero en dúas horas habemos tomar Berlín.
E aínda que non sabemos
exactamente
como avanzará este verán,
si sabemos que estamos xuntos.
Tamén
que a forza do noso amor
pode perfectamente ser inútil.
"Velaí a peaxe por vivir", adoitaba dicir
o Aurelio.
O corvo, en plena cidade, remonta o voo
e ascende contra o sol.

4 de xullo

OZA (TEO)

Non queres ser cínico,
pero estás rodeado.
Dun momento a outro,
todo pode comezar a arder.
Porque a temperatura sobe

The newspaper doesn't hold the world.
But in an old novel the protagonist talks about
his cunning class hatred.
The past lights up the future
like the chestnut tree darkens the cloister
– this image is from another time.
Like the organised movement of subalterns
starts the suppression of the way things are.
Clouds dominate the summer solstice.
Not even instrumental rationality
can explain history's plan.

14 June

SAR

What's on the way is scary.
Not many cars pass.
But in two hours we'll take Berlin.
And though we don't know
exactly
how this summer will go,
we know we are together.
Also
that the force of our love
could be perfectly useless.
"Lo, the toll for living", as Aurelius
used to say.
The crow in the middle of the city rises
and soars into the sun.

24 July

OZA (TEO)

You don't want to be cynical,
but you're surrounded.
From one minute to the next,
everything could go up in flames.
Because the temperature rises

e ninguén se responsabiliza
de que se están a torcer as cousas.
Tamén a nosa maneira de tratar
cos outros.
O mando capitalista,
avisas,
non entende de amabilidade.
E nós que quixemos ser amábeis,
con dificultade,
imos máis ou menos resistindo.
Non prometemos nada.
No ceo,
os paxaros ensaian unha fuxida.
Miramos para eles e aprendemos que si,
que efectivamente temos medo.

12 de setembro

BERLÍN

> *na tumba de Karl Liebknecht e*
> *Rosa Luxemburgo, un monolito*
> *di: "Os mortos advírtennos"*

O historiador traballa con materia viva.
Interroga todo aquilo que aos demais
nos parecen estatuas
e obtén unha verdade practicábel:
"O mundo é grande e terríbel".
O outono empurra contra a pel e esa circunstancia
tamén importa.
Hai un tigre no pasado.
Espreguízase e salta.
Para o historiador,
este dato explica a noite do século.
A nós indícanos
que aínda existe unha saída.
E que nunca os mortos paran de advertirnos.

22 de setembro

and no one takes responsibility
for the way things have gone.
And then
how we treat each other.
The capitalist command,
you warn
doesn't fathom kindness.
And here we wanted to be kind,
it's tough,
we struggle on.
No promises made.
In the sky,
the birds essay an escape.
We look up at them and learn yes,
at the heart of it, we're afraid.

12 September

BERLIN

> *on the tomb of Karl Liebknecht and*
> *Rosa Luxemburg, a monolith*
> *says: "The dead warn us"*

The historian works with live material.
He interrogates everything which to the rest of us
looks statuesque
he compiles a workable truth:
"The world is huge and terrible."
The autumn pushes against the skin
and that matters too.
There is a tiger in the past.
He stretches himself and pounces.
For the historian,
this fact explains the century's dark night.
It tells us
there still exists a way out.
And the dead will never stop warning us.

22 September

**VILANCE. VARIACIÓN SOBRE UN TEMA DE
JOSÉ EMILIO PACHECO**

Campos fríos, páramos, gándaras,
terra erma e bosque escuro,
humidades pegadas aos carballos,
casas baleiras, prados brillantes,
unha tonalidade entre verde e gris
que nos fala de antes e domina os ollos.

A única idea de patria
que aínda respectamos

30 de decembro

**VILANCE. VARIATION ON A THEME
BY JOSÉ EMILIO PACHECO**

Cold fields, marsh, scrub,
wasteland and dark woods,
damp seals the oak trees,
empty houses, bright meadows,
a tone somewhere between green and grey
talks to us of before and dominates the eyes.

The only notion of fatherland
we still respect.

30 December

PHOTO: AUTHOR'S ARCHIVE

MANUELA PALACIOS is Senior Lecturer of English Literature at the University of Santiago de Compostela in Spain. She has directed four consecutive research projects on contemporary Irish and Galician literature that have been funded by the Spanish Ministry of Economy and Competitiveness, and has edited and co-edited several books in relation to this topic: *Pluriversos* (2003), *Palabras extremas* (2008), *Writing Bonds* (2009), *Creation, Publishing and Criticism* (2010), *To the Winds Our Sails* (2010) and *Forked Tongues* (2012). Three of the former volumes are collections of translated poetry. Her other publications include translations of European poetry and fiction, such as Virginia Woolf's *To the Lighthouse* (1993), a trilingual anthology of Estonian poetry (*Vello ceo nórdico,* 2002), and *Los ritos de los sentidos*, a bilingual, illustrated anthology of Arabic poetry (CantArabia, 2015), as well as monographs on Virginia Woolf's pictorial imagery, Shakespeare's *Richard III* and articles on ecocriticism.

PHOTO: TRANSLATOR'S ARCHIVE

KEITH PAYNE is the Ireland Chair of Poetry Bursary Award winner for 2015-2016. His debut collection *Broken Hill* was published by Lapwing Publications. He has translated Hispanic poets Jaime Gil de Biedma, Juan Gelman, Óscar Oliva and Efraín Huerta among others and has represented Ireland at many international poetry festivals. Keith has lectured on translation and contemporary Irish poetry at the Universities of Oviedo, Salamanca, Granada and Vigo and is a recipient of Arts Council of Ireland funding for professional development. He lives in Vigo, Galicia with his partner, musician Su Garrido Pombo.

translation 91   Yolanda Castaño